P9-DFA-481

Langenscheidt
Gramatyka włoska
z ćwiczeniami

Poziom podstawowy i średnio zaawansowany

M. A. Söllner, P. Bernabei-Dangelmaier

Langenscheidt

Berlin · Monachium · Warszawa · Wiedeń · Zurych · Nowy Jork

Tytuł oryginału: *Langenscheidts Kurzgrammatik Italienisch,*
Langenscheidts Grammatiktraining Italienisch

Przekład i adaptacja: *Ewa Zwierzchoń, Maciej Stanaszek*

Adaptacja okładki: *Grażyna Ficenes*
Redakcja: *Anna Kędziorek*
Korekta: *Hanna Florczak*
Produkcja: *Marzena Baranowska*
Koodynacja projektu: *Małgorzata Kapuścińska*

Skład i łamanie: *GABO s.c.*, Milanówek
Druk: *Zakład Graficzny COLONEL*

© for the original edition: 2000 Langenscheidt KG, Berlin and München
© for the Polish edition: 2001 Langenscheidt Polska Sp. z o.o., Warszawa

ISBN: 83-89338-00-9
Cena: 17,90 zł

Przedmowa

Oddajemy do rąk Czytelnika przyjazny podręcznik gramatyki – zwięzły, jasny i przystępny. Składa się on z dwóch części. W pierwszej znajdują się wszystkie najważniejsze zasady gramatyki włoskiej – od morfologii do składni. Ważne informacje – wyodrębnione w tabelach i zestawieniach – podkreślono kolorem i rozmaitymi formami graficznymi. Reguły gramatyczne ilustrowane są licznymi przykładami z polskimi tłumaczeniami.

W części drugiej Czytelnik znajdzie ponad 150 ćwiczeń, poświęconych tym zagadnieniom gramatycznym z części pierwszej, które sprawiają najwięcej trudności. Ćwiczenia zostały ułożone tak, aby można je było wykonać w książce, a poprawność rozwiązań natychmiast sprawdzić za pomocą załączonego klucza. Zdania użyte w ćwiczeniach pochodzą z włoskiego języka potocznego i wykorzystują podstawowe słownictwo, po to aby oszczędzić Czytelnikowi wyszukiwania trudnych wyrazów w słownikach.

Książka przeznaczona jest głównie dla użytkownika początkującego, jednak również osoby zaawansowane znajdą w niej coś dla siebie. Można ją wykorzystywać do nauki gramatyki lub do jej odświeżenia, do pracy samodzielnej lub pod kierunkiem nauczyciela. Dla nauczyciela z kolei stanowi gotowy materiał dydaktyczny na podstawowym i ponadpodstawowym poziomie nauczania.

Życzymy wszystkim Czytelnikom pięknego, bezbłędnego posługiwania się językiem włoskim i aby stosowali reguły gramatyczne w sposób naturalny, jak w swoim języku ojczystym.

Autorzy i Wydawnictwo

Spis treści

GRAMATYKA

Spis treści

ĆWICZENIA

GRAMATYKA

1 Alfabet i wymowa

1.1 Alfabet włoski

a	(a)	g	(gi)	o	(o)	u	(u)
b	(bi)	h	(acca)	p	(pi)	v	(vu)
c	(ci)	i	(i)	q	(qu)	z	(zeta)
d	(di)	l	(elle)	r	(erre)		
e	(e)	m	(emme)	s	(esse)		
f	(effe)	n	(enne)	t	(ti)		

Litery **j** (i lunga), **k** (cappa), **w** (doppia vu), **x** (iks) i **y** (ipsilon, i greca) występują tylko w wyrazach obcych i nazwach własnych.

1.2 Wymowa

Ponieważ wymowa samogłosek włoskich jest zbliżona do wymowy samogłosek polskich, w poniższej tabelce omówione zostały tylko spółgłoski (oraz ich połączenia z samogłoskami lub innymi spółgłoskami), których wymowa odbiega od zasad polskich. Prawie wszystkie spółgłoski istnieją w wersji podwojonej (np. **cc**, **ss**, **zz**) – trzeba przy tym pamiętać, że wymawia się je jako **jedną** spółgłoskę, trochę „przytrzymaną" (przedłużoną).

litera / grafem	wymowa	przykład
c	– przed **a**, **o**, **u** i **spółgłoskami** wymawia się jak [k] – przed **e** i **i** wymawiane jest podobnie jak polskie [cz] (nieco bardziej miękko). W zestawieniach cia, cio, ciu nie wymawia się i, jeżeli nie jest ono akcentowane: ciao to [czao], a farmacia to [farmaczi-a]	costa (*wybrzeże*) dieci (*dziesięć*) ciao (*cześć*) farmacia (*apteka*)
ch / cch	– litera **h** między c / cc i e lub i powoduje, że c wymawia się jak [k]	occhi (*oczy*)
g	– przed **a**, **o**, **u** i **spółgłoskami** (oprócz l i n) wymawia się jak [g] – przed **e** i **i** wymawiane jest podobnie jak polskie [dż] (nieco bardziej miękko). W zestawieniach gia, gio, giu nie wymawia się i, jeżeli nie jest ono akcentowane: gioco to [dżoko], a nostalgia to [nostaldżi-a].	prego (*proszę*) gelato (*lody*) gioco (*gra*)

litera / grafem	wymowa	przykład
gh	– litera **h** między g i e lub i powoduje, że g wymawia się jako [g]	ghetto (*getto*)
gli	– gli jest wymawiane jako [lj]	figlia (*córka*)
gn	– gn to prawie zawsze [ń]	lavagna (*tablica*)
h	– nie wymawia się – np. hanno jest w wymowie identyczne z anno	hanno (*mają*)
qu	– wymawia się jak polskie [kł]	questo (*ten*)
s	– przed samogłoskami (na początku wyrazu), spółgłoskami bezdźwięcznymi oraz po l, n, r wymawiane jest jako [s] – między dwiema samogłoskami i przed spółgłoskami dźwięcznymi wymawiane jest jak [z]	sono (*jestem*) presto (*wcześnie*) falso (*fałszywy*) rosa (*róża*) sbaglio (*błąd*)
sc	– przed samogłoskami a, o, u i przed he/hi wymawia się jak [sk]	scuola (*szkoła*) scherzo (*żart*) sciarpa (*szalik*)
sci / sce	– w tym zestawnieniu sc to [sz]	scena (*scena*)
ss	– zawsze [s]	essere (*być*)
v	– wymawia się jak polskie [w]	Verona
z / zz	brak jasnych reguł wymowy: – po n, l, r wymawia się jak [c] – między samogłoskami i przed samogłoskami raz wymawiane jest jak [c], – a raz jak [dz]	senza (*bez*) pizza (*pizza*) zio (*wujek*) mezzo (*środek*) zoo (*zoo*)

Akcent wyrazowy w języku włoskim pada przeważnie na przedostatnią sylabę (czyli tak jak w polskim). Wyjątków od tej zasady nie da się niestety ująć w żadną prostą regułę. Jeżeli akcentowana jest ostatnia sylaba, jest ona zawsze oznaczona akcentem graficznym (np. caffè, città, perché), natomiast akcent na trzecią lub czwartą sylabę od końca jest zazwyczaj oznaczany w słownikach (tylko!) kropką pod daną sylabą.

2 Rodzajnik

2.1 Formy rodzajnika określonego i nieokreślonego

Formy rodzajnika określonego i nieokreślonego zależne są od rodzaju i głoski początkowej następującego po nim rzeczownika. Rodzajnik nieokreślony nie ma liczby mnogiej – jako formy zastępczej można użyć rodzajnika cząstkowego (por. 2.4).

	rodzajnik nieokreślony	rodzajnik określony	
rodzaj męski	**l. poj.**	**l. poj.**	**l. mn.**
przed spółgłoską	un libro *(jakaś) książka*	il libro *(ta) książka*	i libri *(te) książki*
przed samogłoską	un amico *(jakiś) przyjaciel*	l'amico *(ten) przyjaciel*	gli amici *(ci) przyjaciele*
przed s + spółgłoska oraz przed z, gn, ps, x i y	uno studente *(jakiś) student* uno zio *(jakiś) wujek* uno psicologo *(jakiś) psycholog*	lo studente *(ten) student* lo zio *(ten) wujek* lo psicologo *(ten) psycholog*	gli studenti *(ci) studenci* gli zii *(ci) wujkowie* gli psicologi *(ci) psycholodzy*
rodzaj żeński			
przed spółgłoską	una casa *(jakiś) dom*	la casa *(ten) dom*	le case *(te) domy*
przed samogłoską	un'amica *(jakaś) przyjaciółka*	l'amica *(ta) przyjaciółka*	le amiche *(te) przyjaciółki*

2.2 Użycie
Rodzajnik nieokreślony, nie występujący w języku polskim, używany jest podobnie jak w innych językach rodzajnikowych (np. angielskim, niemieckim, francuskim, hiszpańskim). Wskazuje on na obiekt bliżej nie określony albo nie wspomniany wcześniej:

Ho letto **un** libro.   *Przeczytałem jakąś / pewną książkę.*

Jak widać, rodzajnikowi nieokreślonemu odpowiadają w języku polskim przeważnie wyrazy „jakiś" lub „pewny". Dość często jednak nie tłumaczy się go wcale.

 Rodzajnika nieokreślonego nie stosuje się w wykrzyknieniach, apozycjach (przykład nr 2) i przed **mezzo**:

Che fortuna!	*Ale szczęście!*
Marcello Mastroianni, famosissimo attore,...	*Marcello Mastroianni, światowej sławy aktor, ...*
Me ne dia mezzo chilo!	*Poproszę pół kilo! (dosł.: Niech mi pan(i) da pół kilo!)*

Tak jak w innych językach rodzajnikowych, **rodzajnik określony** wskazuje na obiekt znany rozmówcom albo już wcześniej wspomniany:

Il libro che mi hai regalato mi piace molto.	*Książka (= konkretna, dokładnie określona), którą mi podarowałeś, bardzo mi się podoba.*

Rodzajnika określonego zazwyczaj nie tłumaczy się na polski. Czasami jednak odpowiada mu zaimek wskazujący „ten / ta / to".

Rodzajnik określony stosuje się poza tym:
- **przed zaimkami dzierżawczymi** (por. 9):

la mia amica	*moja przyjaciółka*

Uwaga! Pod tym względem język włoski różni się od innych języków „rodzajnikowych".
- przed tytułami i nazwiskami (chyba że zwracamy się do kogoś bezpośrednio):

Il signor Marchi è appena arrivato.	*Pan Marchi właśnie przyszedł.*

Uwaga! Także tutaj język włoski różni się od innych języków „rodzajnikowych".
- **przed nazwami kontynentów, krajów, regionów, rzek, jezior i wysp:**

l'Europa, l'Italia, la Francia, la Toscana, il Po, il Garda, la Sicilia	*Europa, Włochy, Francja, Toskania, Pad, jezioro Garda, Sycylia*

Jeżeli te nazwy geograficzne występują w połączeniu z przyimkami **in** lub **di**, opuszcza się rodzajnik określony:

Vado in Italia.
I vini d'Italia sono molto famosi.

Jadę do Włoch.
Włoskie wina (dosł. Wina Włoch) są bardzo znane.

● **przed określeniami cech fizycznych lub innych cech zewnętrznych:**

Pietro ha **i** capelli biondi.
Gina porta **gli** occhiali.

Pietro ma blond włosy.
Gina nosi okulary.

● **podając czas** (por. 6.2):

Sono già **le** cinque!

Jest już piąta!

● **przed nazwami pór dnia lub dni tygodnia** w celu wyrażenia czynności zwyczajowych, powtarzających się regularnie:

La mattina mi sveglio presto.
Il lunedì vado al corso d'italiano.

Rano budzę się wcześnie.
W poniedziałek (= w poniedziałki) chodzę na kurs włoskiego.

i **W przypadku czynności jednorazowych opuszcza się rodzajnik przed dniami tygodnia:**

Lunedì vado al cinema.

W poniedziałek (= najbliższy poniedziałek) idę do kina.

2.3 Przyimek + rodzajnik określony

Niektóre przyimki zlewają się z następującym po nich rodzajnikiem określonym, tworząc jeden wyraz. Jest to obowiązkowe w przypadku poniższych przyimków:

+	il	lo	l'	la	i	gli	le
a	al	allo	all'	alla	ai	agli	alle
di	del	dello	dell'	della	dei	degli	delle
da	dal	dallo	dall'	dalla	dai	dagli	dalle
in	nel	nello	nell'	nella	nei	negli	nelle
su	sul	sullo	sull'	sulla	sui	sugli	sulle

Vado **al** cinema.
Sul tavolo ci sono le mie chiavi.

Idę do kina.
Na stole są moje klucze.

2.4 Rodzajnik cząstkowy

Rodzajnik cząstkowy powstaje w wyniku zlania się **di** z formami rodzajnika określonego. Oznacza on nieokreśloną ilość / liczbę czegoś i przeważnie się go nie tłumaczy. Czasami jednak odpowiada mu polski dopełniacz (przykład drugi) lub wyraz „trochę".

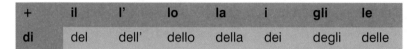

+	il	l'	lo	la	i	gli	le
di	del	dell'	dello	della	dei	degli	delle

C'è **del** pane?   *Jest chleb / trochę chleba?*
Ho comprato **dei** pomodori e **delle**   *Kupiłem pomidorów i gruszek.*
pere.

i   Rodzajnika cząstkowego nie używa się w zdaniach przeczących, z pojęciami abstrakcyjnymi i określeniami ilości / liczby:

Non c'è più pane.   *Nie ma już chleba.*
C'è ancora speranza.   *Jest jeszcze nadzieja.*
Ho comprato molti/tanti libri.   *Kupiłem dużo książek.*
Ho comprato un chilo di mele.   *Kupiłem kilo jabłek.*

3 Rzeczownik

3.1 Rodzaj i tworzenie liczby mnogiej

W języku włoskim rzeczowniki mają tylko dwa rodzaje: męski i żeński. Nie ma więc rodzaju nijakiego. Rodzaj gramatyczny można przeważnie rozpoznać po końcówce rzeczownika.

rodzaj męski		rodzaj żeński	
l. poj.	**l. mn.**	**l. poj.**	**l. mn.**
il vino *wino*	i vini *wina*	la casa *dom*	le case *domy*
il paese *kraj, wieś*	i paesi *kraje, wsie*	la pensione *pensjonat*	le pensioni *pensjonaty*

● Rzeczowniki zakończone na **-o** są z reguły rodzaju męskiego i mają w liczbie mnogiej końcówkę **-i**.

Wyjątki:

la mano	*ręka*	**le** mani	*ręce*
la radio	*radio*	**le** radio	*radia*
la foto(grafia)	*zdjęcie*	**le** foto(grafie)	*zdjęcia*

● Rzeczowniki zakończone na **-a** są przeważnie rodzaju żeńskiego; w liczbie mnogiej mają **-e**.

Wyjątki:
– rzeczowniki zakończone na **-ma**:

il cinema	*kino*	**i** cinema	*kina*
il problema	*problem*	**i** problemi	*problemy*

– rzeczowniki zakończone na **-ista** albo na **-a**, które określają osobę płci męskiej:

il farmacista	*aptekarz*	**i** farmacisti	*aptekarze*
il collega	*kolega*	**i** colleghi	*koledzy*

● Rzeczowniki zakończone na **-e** mogą być zarówno rodzaju męskiego, jak i żeńskiego. W obu przypadkach końcówką liczby mnogiej jest **-i**:

la notte	*noc*	**le** notti	*noce*
il leone	*lew*	**i** leoni	*lwy*

17

● **Rodzaju żeńskiego** są poza tym rzeczowniki zakończone na **-zione**, **-tà**, **-tù**, **-trice**:

la cola**zione**	*śniadanie*	la cit**tà**	*miasto*
la vir**tù**	*cnota*	la scrit**trice**	*pisarka*

3.2 Szczególne formy liczby mnogiej

Rzeczowniki zakończone na -ca, -ga, -co, -go
W celu zachowania wymowy [k] lub [g], w rzeczownikach zakończonych na **-ca, -ga, -co, -go** i akcentowanych na przedostatniej sylabie wstawia się **h** między c lub g a samogłoskę końcową:

l'ami**ca**	*przyjaciółka*	le ami**che**	*przyjaciółki*
la colle**ga**	*koleżanka*	le colle**ghe**	*koleżanki*
il bos**co**	*las*	i bos**chi**	*lasy*
il luo**go**	*miejsce*	i luo**ghi**	*miejsca*

Wyjątkami są tutaj:

l'ami**co**	*przyjaciel*	gli ami**ci**	*przyjaciele*
il gre**co**	*Grek*	i gre**ci**	*Grecy*

> **i**   Jeżeli jednak rzeczowniki rodzaju męskiego na **-co** i **-go** są akcentowane na trzecią sylabę od końca, pisownia zostaje ta sama, czyli wymowa zmienia się z [k] na [cz]:

il medico	*lekarz*	i medici	*lekarze*
l'asparago	*szparag*	gli asparagi	*szparagi*

Również od tej reguły jest kilka wyjątków:

il carico	*ciężar / ładunek*	i carichi	*ciężary*
il catalogo	*katalog*	i cataloghi	*katalogi*

Rzeczowniki zakończone na -cia, -gia
Jeżeli **-i-** nie jest akcentowane albo przed końcówkami **-cia** lub **-gia** znajduje się spółgłoska, to w liczbie mnogiej jest **-ce** lub **-ge**:

l'aran**cia**	*pomarańcza*	le aran**ce**	*pomarańcze*
la spiag**gia**	*plaża*	le spiag**ge**	*plaże*

Jeśli zaś **-i-** jest akcentowane albo końcówki **-cia** lub **-gia** poprzedza samogłoska, to **-i-** zostaje:

la bug<u>i</u>a	*kłamstwo*	le bug<u>i</u>e	*kłamstwa*
la cam<u>i</u>cia	*koszula*	le cam<u>i</u>cie	*koszule*

Rzeczowniki zakończone na -io
Jeżeli **-i-** jest akcentowane, końcówką liczby mnogiej jest **-ii**:

lo z<u>i</u>o	*wujek*	gli z<u>ii</u>	*wujkowie / wujcstwo*

W przypadku **-i-** nieakcentowanego końcówka składa się z pojedynczego **-i**:

lo st<u>u</u>dio	*studium*	gli st<u>u</u>di	*studia*

Rzeczowniki zmieniające rodzaj
Niektóre rzeczowniki, które są rodzaju męskiego w liczbie pojedynczej, zmieniają w liczbie mnogiej rodzaj na żeński. Mają one wtedy nieregularną końcówkę **-a**:

l'uovo	*jajo*	**le** uova	*jaja*
il paio	*para*	**le** paia	*pary*
il braccio	*ramię*	**le** braccia	*ramiona*
il labbro	*warga*	**le** labbra	*wargi*

Rzeczowniki, które mają tylko liczbę pojedynczą:

la gente	*ludzie*	la roba	*rzecz / rzeczy / manatki*
l'uva	*winogrona*		

Rzeczowniki, które mają tylko liczbę mnogą:

le forbici	*nożyczki*	i soldi	*pieniądze*
gli occhiali	*okulary*	i pantaloni	*spodnie*

Inne przypadki nieregularnej liczby mnogiej:

l'uomo	mężczyzna / czło-wiek	gli uomini	mężczyźni / lu-dzie
il dio	bóg	gli dei	bogowie

Rzeczowniki nieodmienne
Identyczną formę w liczbie pojedynczej i mnogiej mają
● rzeczowniki, które kończą się na spółgłoskę (przeważnie wyrazy obce):

il film	film	i film	filmy

● rzeczowniki jednosylabowe:

il re	król	i re	królowie

● rzeczowniki utworzone przez skrócenie innych:

la foto(grafia)	zdjęcie	le foto	zdjęcia
l'auto(mobile)	samochód	le auto	samochody

● rzeczowniki zakończone na **-tà, -tù, -è**:

la città	miasto	le città	miasta
la virtù	cnota	le virtù	cnoty
il caffè	kawa	i caffè	kawy

● rzeczowniki zakończone na **-i**:

la crisi	kryzys	le crisi	kryzysy

3.3 Modyfikacja znaczenia za pomocą sufiksów

Za pomocą określonych sufiksów (= przyrostków) można nadawać rzeczownikom odcień pozytywny lub negatywny (pejoratywny). Język włoski ma podobne bogactwo sufiksów tego typu, co język polski. Należy jednak pamiętać, że nie do każdego wyrazu można dodać dowolny przyrostek:

zgrubienie (accrescitivo): **-one / -ona**	il ragazzone	*chłopaczysko*
zdrobnienie (diminutivo): **-ino / -ina** **-etto / -etta** **-ello / -ella**	la ragazzina la casetta un buon vinello	*dziewczynka* *domek / domeczek* *dobre winko*
odcień pejoratywny: **-accio / -accia**	il ragazzaccio la parolaccia	*urwis / łobuz* *przekleństwo*

21

4 Przymiotnik

4.1 Formy

W języku włoskim wyróżnia się dwie grupy przymiotników:
● przymiotniki zakończone na **-o** / **-a**, które mają cztery różne końcówki:

	rodzaj męski		rodzaj żeński	
l. poj.	il naso piccolo	*mały nos*	la casa piccola	*mały dom*
l. mn.	i nasi piccoli	*małe nosy*	le case piccole	*małe domy*

● przymiotniki zakończone na **-e** mają tylko dwie końcówki – te same w obu rodzajach:

	rodzaj męski		rodzaj żeński	
l. poj.	il naso grande	*duży nos*	la casa grande	*duży dom*
l. mn.	i nasi grandi	*duże nosy*	le case grandi	*duże domy*

4.2 Osobliwości

Przymiotniki zakończone na -co / -ca, -go / -ga, -io / -ia, -cio / -cia
Przymiotniki te tworzą liczbę mnogą według tych samych reguł, co rzeczowniki o identycznych końcówkach (por. 3.2). Przymiotniki zakończone na **-go** mają jednak – w przeciwieństwie do rzeczowników – w rodzaju męskim w liczbie mnogiej zawsze końcówkę **-ghi** (np. largo *szeroki* → lar**ghi**).

Przymiotniki nieodmienne
Do tej grupy należą przede wszystkim **określenia kolorów**:

antracite	*antracytowy*	blu	*niebieski*	viola	*fioletowy*
beige	*beżowy*	lilla	*liliowy*	rosa	*różowy*

oraz **złożone nazwy kolorów** i **wyrazy obce**:

verde chiaro	*jasnozielony*	verde scuro	*ciemnozielony*
i pantaloni **blu** / la giacca **blu**		*niebieskie spodnie / niebieska kurtka*	

i pantaloni grigio chiaro
la gonna rosso scuro
un vestito molto **chic**

spodnie jasnoszare
spódnica ciemnoczerwona
bardzo elegancka suknia

bello i buono
Podobnie jak rodzajnik, przymiotniki te dopasowują swoją końcówkę do samogłoski początkowej następującego po nich rzeczownika.

Bello zachowuje się przed rzeczownikiem jak rodzajnik określony (por. 2.1) lub jak **quello** (por. 8.1):

	rodzaj męski l. poj.	rodzaj męski l. mn.
przed spółgłoską	un **bel** posto *piękne miejsce*	dei **bei** posti *piękne miejsca*
przed samogłoską	un **bell'**uomo *piękny mężczyzna*	dei **begli** uomini *piękni mężczyźni*
przed s + spółgłoska, z, ps *itd.*	un **bello** specchio *piękne lustro*	dei **begli** specchi *piękne lustra*

W liczbie pojedynczej forma żeńska może zostać skrócona przed samogłoską do **bell'**:

una bella / bell'amica   *piękna przyjaciółka*

i Jeżeli bello stoi po rzeczowniku albo samodzielnie, zachowuje formę podstawową (r. m. l.poj. bello, r. m. l.mn. belli):

Questi quanti sono belli.   *Te rękawiczki są piękne.*

Buono zachowuje się w liczbie pojedynczej jak rodzajnik nieokreślony (por. 2.1):

rodzaj męski		
przed spółgłoską lub samogłoską	un **buon** ristorante un **buon** amico	*dobra restauracja* *dobry przyjaciel*
przed s + spółgłoska *itd.*	un **buono** spumante	*dobry szampan*
rodzaj żeński		
przed spółgłoską	una **buona** storia	*dobra historia*
przed samogłoską	una **buon'**amica	*dobra przyjaciółka*

> _i_   Jeżeli **buono** występuje po rzeczowniku albo jest używane w funkcji orzecznika, zachowuje formę podstawową:

Il ristorante è buon**o**.   _Ta restauracja jest dobra._

4.3 Zgodność przymiotnika z rzeczownikiem

Przymiotnik zgadza się zawsze pod względem rodzaju i liczby z określanym rzeczownikiem:

i ragazz**i** italian**i**   _włoscy chłopcy_
le ragazz**e** italian**e**   _włoskie dziewczęta_

Dotyczy to również przypadków, gdy nie stoi bezpośrednio przy rzeczowniku (tzn. jest orzecznikiem):

La tua amic**a** è simpatic**a**.   _Twoja przyjaciółka jest sympatycz-_
     _na._

W przypadku zestawienia rzeczowników rodzaju męskiego i żeńskiego używa się męskiej formy liczby mnogiej:

i ragazzi e le ragazze italian**i**   _włoscy chłopcy i dziewczęta_
ale:
le ragazze italian**e**   _włoskie dziewczęta_

4.4 Pozycja przymiotnika względem rzeczownika

Przymiotnik może stać przed rzeczownikiem lub po nim. Większość przymiotników ma swoje miejsce po rzeczowniku – są one akcentowane i mają dzięki temu charakter różnicujący.

Następujące przymiotniki stoją **zawsze po rzeczowniku**:
● przymiotniki oznaczające narodowość, wyznanie, przynależność politycz-
ną, kształt lub kolor:

un libro italiano   _włoska książka_
il pullover blu   _niebieski pulower_
il partito comunista   _partia komunistyczna_

● imiesłowy użyte jako przymiotniki:
un prezzo conveniente   _korzystna cena_

● przymiotniki wielosylabowe:

una situazione insopportabile   *sytuacja nie do zniesienia*

● przymiotniki zestawione **z przysłówkami**:

un film molto bello   *bardzo ładny film*

Przymiotniki mogą także stać **między rodzajnikiem a rzeczownikiem** – są
wtedy nieakcentowane i pełnią funkcję opisującą:

una splendida giornata   *wspaniały dzień*
un bravo bambino   *dobre dziecko*

> **i** Niektóre przymiotniki mają różne znaczenie w zależności od pozycji. Jeżeli pojawiają się po rzeczowniku, zachowują swoje znaczenie podstawowe. Jeśli natomiast stoją przed rzeczownikiem, mają znaczenie przenośne.

caro	un vino caro	*drogie wino*
	un caro amico	*drogi przyjaciel*
certo	una prova certa	*pewny dowód (=niezbity)*
	un certo fascino	*pewna fascynacja (=niejaka)*
grande	un quadro grande	*duży obraz*
	un gran quadro	*wielki obraz (=wspaniały)*
povero	un uomo povero	*biedny człowiek (=bez pieniędzy)*
	un pover'uomo	*biedny człowiek (=godny pożałowania)*
solo	una persona sola	*osoba samotna*
	una sola persona	*jedyna osoba*
vecchio	un amico vecchio	*stary przyjaciel (=posunięty w latach)*
	un vecchio amico	*stary przyjaciel (=długoletni)*

4.5 Stopniowanie przymiotnika

● **Stopień wyższy**

Regularny stopień wyższy w języku włoskim składa się z **più** lub **meno**
i przymiotnika:

più bello di / che   *piękniejszy od / niż*
meno bello di / che   *mniej piękny od / niż*

„Niż" i „jak", służącym do porównywania, odpowiadają we włoskim **di**, **che**
(„niż") oraz **come** i **quanto** („jak").

Di stosuje się **przy porównywaniu dwóch rzeczowników lub zaimków** (polskie „od / niż"):

Pia è più intelligente **di** Marco / lui. *Pia jest inteligentniejsza od Marco / niego (lub: niż Marco / on).*

Jeżeli natomiast **porównuje się** dwa **przymiotniki, wyrażenia przyimkowe, przysłówki** lub **czasowniki**, używa się **che** (polskie „niż"):

Marco è più furbo **che** intelligente. *Marco jest bardziej sprytny niż inteligentny.*

In Italia fa più caldo **che** in Polonia. *We Włoszech jest cieplej niż w Polsce.*

Meglio tardi **che** mai. *Lepiej późno niż wcale (dosł.: nigdy).*

W przypadku równej intensywności cech używa się wyrażeń **(così)** ... **come** albo **(tanto)** ... **quanto**, które odpowiadają polskiej konstrukcji „(tak / równie) ... jak". **Così** i **tanto** można również opuścić:

Marco è **(così)** simpatico **come** Gianna. *Marco jest równie sympatyczny jak Gianna.*

● **Stopień najwyższy**

W języku włoskim istnieją **dwa rodzaje stopnia najwyższego**: stopień najwyższy **względny** i stopień najwyższy **absolutny**. Ten pierwszy (względny) tworzony jest za pomocą rodzajnika określonego, più i przymiotnika. **Più + przymiotnik** mogą stać przed rzeczownikiem albo za nim – znaczenie pozostaje to samo:

il più **bel** libro / il libro più **bello** *najpiękniejsza książka*

Stopień najwyższy absolutny tworzy się za pomocą końcówki **-issimo**, która jest dodawana do tematu fleksyjnego przymiotnika (tzn. tego, co zostaje po odjęciu końcówki -o, -a lub -e, np. bell-issimo, grand-issimo). Zamiennie można używać formy opisowej **molto + przymiotnik**:

Bologna è una città **bellissima** (= molto bella). *Bolonia jest przepięknym miastem.*

● **Stopniowanie nieregularne**

Niektóre przymiotniki mają – oprócz regularnych form stopniowania – również formy nieregularne:

stopień równy	stopień wyższy	stopień najwyż-szy względny	stopień najwyż-szy absolutny
buono *dobry*	migliore *lepszy*	il migliore *najlepszy*	ottimo *bardzo dobry*
cattivo *zły*	peggiore *gorszy*	il peggiore *najgorszy*	pessimo *bardzo zły*
grande *duży / wielki*	maggiore* *większy, starszy, ważniejszy*	il maggiore* *największy, naj- starszy*	massimo* *największy, naj- wyższy*
piccolo *mały / niewielki*	minore* *mniejszy, młod- szy*	il minore* *najmniejszy, naj- młodszy*	minimo* *najmniejszy, minimalny*

* Formy te mają przeważnie znaczenie przenośne, podczas gdy regularne są używane w znaczeniu podstawowym.

Il vino è ottimo / buonissimo.

Senza il minimo pudore.

(To) wino jest bardzo dobre.

Bez najmniejszego / odrobiny wstydu.

5 Przysłówek

5.1 Formy

Oprócz pierwotnych, nieodmiennych przysłówków (np. **qui** *tutaj*, **subito** *zaraz*) istnieją w języku włoskim również przysłówki – też nieodmienne – utworzone od przymiotników. Przysłówki te określają z reguły sposób wykonywania czynności. Tworzy się je poprzez dodanie końcówki **-mente** do formy l. poj. rodzaju żeńskiego. W przypadku przymiotników zakończonych na **-o** / **-a** przysłówki wyglądają następująco:

strano	stran**a-mente**	*dziwnie*
tranquillo	tranquill**a-mente**	*spokojnie*

Natomiast w przypadku przymiotników zakończonych na **-e** dołącza się **-mente** bezpośrednio do formy liczby pojedynczej:

corrente	corrent**e-mente**	*płynnie*

i W przysłówkach zakończonych na **-le** i **-re** odrzuca się -e przed **-mente**:

facile	facil**mente**	*łatwo*
particolare	particolar**mente**	*szczególnie*

i Następujące przymiotniki tworzą przysłówki **nieregularnie**:

buono	**bene**	*dobrze*
cattivo	**male**	*źle*

molto, poco, troppo
Przymiotniki oznaczające ilość: **molto** *dużo*, **poco** *mało*, **troppo** *za dużo* używane są w formie l. poj. rodzaju męskiego również jako przysłówki. W tej funkcji **molto** znaczy *bardzo*; **poco** *nie bardzo, mało*, **troppo** *za (bardzo) / zbyt*.

Sto **molto** bene.   *Czuję się bardzo dobrze.*
È **troppo** bello per essere vero.   *To jest zbyt piękne, aby mogło być prawdziwe.*

5.2 Pozycja i zastosowanie

Przysłówek określa czynność, czasownik, przymiotnik lub inny przysłówek. Wyróżnia się następujące typy przysłówków:
● **Przysłówki sposobu:**

Sto bene / male.   *Czuję się dobrze / źle.*
Il test è particolarmente difficile.   *Ten test jest szczególnie trudny.*

Przysłówki tego typu stoją przeważnie po czasowniku.
● **Przysłówki miejsca:**

Qui sto bene.   *Tutaj jest mi dobrze.*
L'ascensore è lì.   *Winda jest tam.*

Przysłówki miejsca stoją zazwyczaj na początku lub na końcu zdania.
● **Przysłówki czasu:**

Oggi / stasera ho molto da fare.   *Dzisiaj / dziś wieczór mam dużo pracy.*
Marco lavora sempre troppo.   *Marco zawsze pracuje za dużo.*
I Rossi sono già/non sono ancora arrivati.   *Państwo Rossi już / jeszcze nie przyjechali.*
Ci vediamo domani.   *Widzimy się jutro.*

Przysłówki wyrażające czas określony stoją przeważnie na początku lub na końcu zdania, natomiast te, które wyrażają czas nieokreślony, mają swoje miejsce po czasowniku. W czasach złożonych **già** i **ancora** stoją między czasownikiem posiłkowym a imiesłowem biernym.
● **Przysłówki ilości:**

Questa camicia è troppo cara, ma mi piace molto.   *Ta koszula jest za droga, ale bardzo mi się podoba.*
Ho lavorato tanto.   *Dużo pracowałem / am.*

Przyimki te występują z reguły po czasowniku.

5.3 Stopniowanie przysłówka

Stopniowanie regularne

Tak jak przymiotniki, przysłówki tworzą stopień wyższy za pomocą **più**, natomiast stopień najwyższy powstaje ze stopnia najwyższego przymiotnika w l. poj. rodzaju żeńskiego i końcówki **-mente**. Częściej jednak używa się formy opisowej **molto + forma podstawowa**:

forma podstawowa	stopień wyższy	stopień najwyższy
facilmente	più facilmente	molto facilmente
łatwo	*łatwiej*	*bardzo łatwo*
	meno facilmente	
	mniej łatwo	

Formy nieregularne

Niektóre przysłówki nieregularne tworzą również stopień wyższy w sposób nieregularny – podobnie jak odpowiadające im przymiotniki. Stopień najwyższy tworzą one według reguł dotyczących przymiotników (por. 4.5) – do tematu fleksyjnego przysłówka dołącza się **-issimo**:

forma podstawowa		stopień wyższy		stopień najwyższy	
bene	*dobrze*	meglio	*lepiej*	benissimo	*bardzo dobrze*
male	*źle*	peggio	*gorzej*	malissimo	*bardzo źle*
molto	*dużo / bardzo*	più	*więcej / bardziej*	moltissimo	*bardzo dużo*
poco	*mało*	meno	*mniej*	pochissimo	*bardzo mało*

Sto meglio / peggio.
Stanotte ho dormito malissimo.
Ho mangiato benissimo.

Czuję się lepiej / gorzej.
Dzisiaj w nocy bardzo źle spałem.
Bardzo dobrze zjadłem.

6 Liczebnik

6.1 Liczebniki główne

0	zero	20	venti	100	cento
1	uno	21	ven**tuno**	101	cent**ouno**
2	due	22	ventidue	200	duecento
3	tre	23	ventitré	300	trecento
4	quattro	24	ventiquattro	400	quattrocento
5	cinque	25	venticinque	500	cinquecento
6	sei	26	ventisei	600	seicento
7	sette	27	ventisette	700	settecento
8	otto	28	ven**totto**	800	ottocento
9	nove	29	ventinove	900	novecento
10	dieci	30	trenta	1.000	mille
11	undici	31	trent**uno**	1.001	mille**uno**
12	dodici	32	trentadue	2.000	due**mila**
13	tredici	38	trent**otto**	10.000	dieci**mila**
14	quattordici	40	quaranta	20.000	venti**mila**
15	quindici	50	cinquanta	100.000	cento**mila**
16	sedici	60	sessanta	1.000.000	un milione
17	diciassette	70	settanta	2.000.000	due milioni
18	diciotto	80	ottanta	1.000.000.000	un miliardo
19	diciannove	90	novanta	2.000.000.000	due miliardi

Liczebniki główne akcentuje się przeważnie na przedostatnią sylabę – wyjątki zostały podkreślone. Poza **uno, mille, milione** i **miliardo** liczebniki główne są nieodmienne. Są one również zawsze rodzaju męskiego, za wyjątkiem **uno**, które – tak jak rodzajnik nieokreślony (por. 2.1) – przyjmuje rodzaj określanego rzeczownika (np. **una volta** *raz*). Liczebniki złożone zawierające **uno** mają tylko liczbę pojedynczą rodzaju męskiego i mogą tracić samogłoskę końcową przed rzeczownikiem:

il ventun marzo   *21 marca*

Jeżeli po liczebnikach od 20 do 90 następuje **uno** lub **otto**, odrzuca się samogłoskę końcową poprzedzającego liczebnika (ven**tuno**, trent**otto** *itd.*) Jednakże od **cento** wzwyż samogłoskę tę się zostawia (cent**ouno**).

6.2 Użycie liczebników głównych

6.2.1 Oznaczanie czasu

Inaczej niż w polskim, w języku włoskim przy oznaczaniu czasu używa się liczebników głównych. Co więcej, czasownik ma wtedy przeważnie formę liczby mnogiej, a przed godziną należy zawsze stawiać rodzajnik określony w l. mn. rodzaju żeńskiego:

Che ore sono? / Che ora è?	*Która (jest) godzina?*
Sono **le** cinque (5.00 / 17.00)	*Jest piąta.*
ale:	
È mezzogiorno / mezzanotte.	*Jest południe / północ.*
È l'una.	*Jest pierwsza.*

Minuty, kwadranse itd. poprzedza się spójnikiem **e**:

Sono le cinque **e** dieci.	*Jest dziesięć po piątej.*
Sono le cinque **e** un quarto.	*Jest kwadrans po piątej.*
Sono le cinque **e** mezzo / a.	*Jest wpół do szóstej.*

Jeżeli daną godzinę poprzedza mniej niż dwadzieścia pięć minut, podaje się czas za pomocą **meno** (dosł.: „mniej"):

Sono le sei **meno** venticinque.	*Jest za dwadzieścia pięć szósta.*
Sono le sei **meno** un quarto.	*Jest za kwadrans szósta.*

6.2.2 Oznaczanie roku
Rok podaje się poprzedzony **nel** (in + il-, por. 2.3):

nell'anno 1998 / nel 1998	*w roku 1998 / w 1998*

6.2.3 Data
Oprócz pierwszego dnia miesiąca datę podaje się – inaczej niż po polsku – za pomocą liczebników głównych:

È nata il due aprile 1969.	*Urodziła się 2 kwietnia 1969 roku.*
ale:	
Oggi è il primo novembre.	*Dzisiaj jest 1 listopada.*

i   W nagłówkach listów opuszcza się rodzajnik:

Roma, 15/11/98	*Rzym, 15.11.98*

6.2.4 Wiek

Quanti anni **hai**?
Ho trentun anni.

Ile masz lat?
Mam 31 lat.

 Tak samo jak po polsku, do podawania wieku służy czasownik *mieć* (avere).

6.3 Liczebniki porządkowe

1	primo	11	undicesimo	23	ventitreesimo
2	secondo	12	dodicesimo	26	ventiseiesimo
3	terzo	13	trdicesimo	30	trentesimo
4	quarto	14	quattordicesimo	40	quarantesimo
5	quinto	15	quindicesimo	50	cinquantesimo
6	sesto	16	sedicesimo	60	sessantesimo
7	settimo	17	diciassettesimo	70	settantesimo
8	ottavo	18	diciottesimo	80	ottantesimo
9	nono	19	diciannovesimo	90	novantesimo
10	decimo	20	ventesimo	100	centesimo

Liczebniki porządkowe przybierają rodzaj określanego rzeczownika. Jeżeli są wyrażane cyframi, umieszcza się ich ostatnią literę w pozycji wykładnika (u góry):

la 2ª (seconda) volta
il 1° (primo) piano

drugi raz
pierwsze piętro

6.4 Użycie liczebników porządkowych

1. Wiek (= stulecie):

il 13° (tredicesimo) secolo

XIII wiek

Przy podawaniu numeru wieku preferowana jest często forma następująca:

il '900 (Novecento)

XX wiek

2. Królowie, cesarze, papieże:

Napoleone III (terzo)
Giovanni Paolo II (secondo)

Napoleon III
Jan Paweł II

7 Zaimek osobowy

7.1 Zaimek podmiotu

1. Formy

liczba pojedyncza		liczba mnoga	
io	ja	noi	my
tu	ty	voi / Voi	wy / państwo
lui / lei / Lei	on / ona / Pan(i)	loro (Loro)	oni / one (państwo)

Niezależnie od rodzaju gramatycznego, język włoski stosuje rozróżnienie na formę grzecznościową w liczbie pojedynczej (**Lei** *Pan / Pani*) i w liczbie mnogiej (**Voi** *Państwo*; **Loro** jest odbierane dzisiaj jako bardzo oficjalne i jest powszechnie zastępowane przez **Voi**). Warto zauważyć, że w formie grzecznościowej kategoria rodzaju jest nieistotna: **Lei** to zarówno *Pan*, jak i *Pani*.

2. Użycie
Zaimek podmiotu zastępuje w kontekście rozmowy lub tekstu znany bądź wcześniej wspomniany podmiot (imię, rzeczownik). Tak samo jak w języku polskim, zaimki podmiotu podaje się tylko wtedy, gdy są szczególnie akcentowane (np. w przypadku przeciwstawienia):

Vado a casa.	*Idę do domu.*
Io vado a casa.	*Ja idę do domu. (a co ty zrobisz, to twoja sprawa)*

Użycie zaimków podmiotu w trybie łączącym por. 20.1.

7.2 Zaimek dopełnienia bliższego

1. Formy

	nieakcentowane	akcentowane
mnie	mi	me
cię / ciebie	ti	te
go / jego / ją / Pana / Panią	lo / la / La	lui / lei / Lei
nas	ci	noi
was / Państwa	vi / Vi	voi
ich / je	li (r.m.) / le (r.ż.)	loro

2. Użycie

Zaimek dopełnienia bliższego zastępuje rzeczownik, który byłby odpowiedzią na pytanie: *kogo?* lub *co?* (w języku polskim dopełnienie bliższe występuje przeważnie w bierniku, rzadziej w dopełniaczu). Podobnie jak w naszym języku, we włoskim wyróżnia się formy nieakcentowane, których się używa normalnie, i akcentowane, które są stosowane, gdy chcemy szczególnie podkreślić zaimek. Zaimek nieakcentowany stoi przed czasownikiem (orzeczeniem), a akcentowany po nim albo na końcu zdania (czyli jest w sumie odwrotnie niż w języku polskim – por. poniższe przykłady).

La vedo spesso.	*Widzę ją często.*
Vedo spesso **lei**.	*Ją widzę często. (a jego nie)*

Form akcentowanych używa się poza tym po przyimkach, po **come**, **quanto**, **secondo** i w wykrzyknieniach (w przypadku come i wykrzyknień jest inaczej niż w polskim – we włoskim stosuje się tu bowiem zaimki dopełnienia bliższego, a nie podmiotu!):

Vieni al cinema **con noi?**	*Idziesz / pójdziesz z nami do kina?*
una donna come **te**	*kobieta taka jak ty*
secondo **me**	*według mnie*
Beata **te!**	*Ty szczęściaro!*

Zaimek nieakcentowany 3. os. l. poj. skraca się przed samogłoską lub h do **l'**. W czasach złożonych uzgadnia się końcówkę imiesłowu biernego z zaimkiem dopełnienia bliższego:

L'ho incontrat**a** ieri.	*Spotkałem ją wczoraj.*
Li ho incontrat**i** ieri.	*Spotkałem ich wczoraj.*
Le ho incontrat**e** ieri.	*Spotkałem je wczoraj.*

i **Lo** może mieć również znaczenie *to*:

Non **lo** so.	*Nie wiem (tego).*

7.3 Zaimek dopełnienia dalszego

1. Formy

	nieakcentowane	akcentowane
mi / mnie	mi	a me
ci / tobie	ti	a te
mu / jemu / jej / Pani/Panu	gli / le / Le	a lui / a lei / a Lei
nam	ci	a noi
wam / Państwu	vi / Vi	a voi / a Voi
*im / (Państwu *)*	loro / (Loro*)	a loro / (Loro*)

* Forma grzecznościowa Loro „Państwu" stosowana jest w sytuacjach bardzo oficjalnych.

 Zamiast **loro** używa się często w języku mówionym **gli**. Ma ono wtedy jednak inną pozycję w zdaniu – **gli** stoi przed czasownikiem i można je odróżnić w l. poj. rodzaju męskiego jedynie na podstawie kontekstu, **loro** zaś umieszcza się po czasowniku:

Gli hai dato il tuo numero di telefono?	*Dałeś im / mu swój numer telefonu?*
albo:	
Hai dato **loro**...?	*Dałeś im ...?*

2. Użycie
Zaimek dopełnienia dalszego zastępuje wspomniany wcześniej lub znany rzeczownik, który byłby odpowiedzią na pytanie: *komu?* lub *czemu?* (w języku polskim jest to przeważnie dopełnienie w celowniku). Tak jak w przypadku zaimków dopełnienia bliższego, formę akcentowaną stosuje się tylko wtedy, gdy chce się ją szczególnie podkreślić. Zaimek nieakcentowany stoi przed czasownikiem (orzeczeniem), natomiast akcentowany umieszcza się na początku lub na końcu zdania:

Mi fai un favore.	*Wyświadczysz mi przysługę?*
A noi non pensi mai.	*O nas nigdy nie myślisz.*

7.4 Zaimek zwrotny

liczba pojedyncza		liczba mnoga	
mi	*się*	ci	*się*
ti	*się*	vi	*się*
si*	*się*	si*	*się*

* Oprócz 3. os. l. poj. nie rozróżnia się w przypadku zaimków zwrotnych form akcentowanych i nieakcentowanych. Akcentowaną formę **sé** stosuje się przede wszystkim po przyimkach:

Paola pensa solo a **sé** stessa.	*Paola myśli tylko o sobie.*

Tak jak w języku polskim, zaimek zwrotny występuje tylko w połączeniu z określonymi czasownikami (zwanymi czasownikami zwrotnymi). Stawia się go przed odmienionym czasownikiem (pozycja względem bezokolicznika, gerundio i form trybu rozkazującego por. rozdz. 7.7):

Mi sveglio la mattina presto.	*Rano budzę się wcześnie.*

Ti sei lavato? *(U)myłeś się?*

Jeżeli zaimek zwrotny pojawia się w zdaniu z czasownikiem modalnym (w funkcji orzeczenia), to stoi albo przed nim, albo dołącza się go do bezokolicznika (pozbawionego końcowego **-e**):

Domani **mi** voglio alzare presto.   *Jutro chcę wcześnie wstać.*
lub ...voglio alzar**mi** ...

Passato prossimo czasowników zwrotnych por. 15.1, passato prossimo z essere.

7.5 Partykuły zaimkowe *ci* i *ne*

1. ci
Ci zastępuje wyrażenie przyimkowe z **a** (i znaczy *o to / tym, w to* itd.):

    Ci penso io (p.es. alle spese).   *Zatroszczę się o to (np. o zakupy).*
    – Sei andato dal dentista?   *– Poszedłeś do dentysty?*
    – No, **ci** vado domani.   *– Nie, idę do niego jutro.*
    Non **ci** credo.   ,   *Nie wierzę w to.*

Ci może także zastępować okolicznik miejsca z **da, in, su, per** (i znaczy wtedy *tam*):

    – Sei già stato in Italia?   *– Byłeś już we Włoszech?*
    – Si, **ci** sono già stato due volte.   *– Tak, byłem tam już dwa razy.*
    Ci vai tu (p.es. al telefono)?   *Podejdziesz tam (np. do telefonu)?*

Następujące czasowniki mają inne znaczenie w połączeniu z **ci**:

entrare *(wchodzić do)* Che c'entro io?	**entrarci** *(mieć z czymś coś wspólnego)* *Co ja mam z tym wspólnego / Co mnie do tego?*
essere *(być)* C'è ancora del latte?	**esserci** *(być / znajdować się)* *Jest jeszcze mleko?*
volere *(chcieć)* Ci vogliono due ore.	**volerci** *(być koniecznym, potrzebować)* *Potrzebujemy dwóch godzin.*
stare *(stać)* Ci state?	**starci** *(dołączać się do jakiegoś przedsięwzięcia)* *Dołączacie się?*

2. ne
Ne zastępuje wyrażenie przyimkowe z **di** lub **da** (i znaczy *na to, z tego* itd.). Stoi ono bezpośrednio przed czasownikiem:

    Che dici **di** questa idea?   *– Co powiesz na ten pomysł?*

Che **ne** dico? **Ne** sono molto contento.

– *Co na to powiem? Jestem z niego bardzo zadowolony.*

W połączeniu z określeniami ilości / liczby **ne** ma znaczenie *tego* / *ich* i przeważnie nie jest tłumaczone na polski. W czasach złożonych imiesłów bierny musi się zgadzać (pod względem liczby i rodzaju) z rzeczownikiem zastąpionym przez **ne**:

Quante mele hai comprato?
Ne ho comprate tre.
Ne ho comprata una.

– *Ile kupiłeś jabłek?*
– *Kupiłem (ich) trzy.*
– *Kupiłem jedno.*

Jako okolicznik miejsca **ne** może zastępować wyrażenie przyimkowe z **da** – ma wtedy znaczenie *stamtąd*.

Sei stato a Roma?
Ne sono appena tornato.

– *Byłeś w Rzymie?*
– *Właśnie stamtąd wróciłem.*

7.6 Zestawienia nieakcentowanych zaimków osobowych

Nieakcentowany zaimek dopełnienia dalszego, zaimek zwrotny oraz partykuła zaimkowa **ci** łączą się z nieakcentowanym zaimkiem dopełnienia bliższego 3. os. i partykułą zaimkową **ne**, tworząc następujące zestawienia:

+	lo	la	li	le	ne
mi	me lo	me la	me li	me le	me ne
ti	te lo	te la	te li	te le	te ne
gli / le / Le	glielo	gliela	glieli	gliele	gliene
ci	ce lo	ce la	ce li	ce le	ce ne
vi	ve lo	ve la	ve li	ve le	ve ne
loro	lo ... loro	la ... loro	li ... loro	le ... loro	ne ... loro
gli	glielo	gliela	glieli	gliele	gliene
si*	se lo	se la	se li	se le	se ne
ci	ce lo	ce la	ce li	ce le	ce ne

* Jeżeli chodzi tu jednak o **si** bezosobowe (si impersonale) – *się* (por. 24), to jako pierwszy stoi nieakcentowany zaimek dopełnienia:

Lo si vede.
Mi si dice...

Widać to.
Mówi się mi, ...

Zaimek dopełnienia dalszego poprzedza zaimek dopełnienia bliższego (oprócz loro) i za wyjątkiem 3. os. jest oddzielany w pisowni od zaimka następującego po nim. Takie zestawienia stoją bezpośrednio przed czasownikiem. Poza tym w czasach złożonych imiesłów bierny musi się zgadzać (pod względem liczby i rodzaju) z zaimkiem dopełnienia bliższego:

Te lo do subito.	*Dam ci to zaraz.*
Te **li** ho già dati.	*Dałem ci je już.*
L'ho detto **loro** = gliel'ho detto.	*Powiedziałem to im.*

7.7 Osobliwości pozycji nieakcentowanych zaimków osobowych

Nieakcentowane zaimki osobowe lub ich kombinacje oraz partykuły zaimkowe dodaje się bezpośrednio:
- **do form trybu rozkazującego**, z wyjątkiem 3. os. l.mn. (por. 22):

Dam**melo**!	*Daj mi to!*
Dim**mi**!	*Powiedz mi!*
Dite**ci** la verità!	*Powiedzcie nam prawdę!*
Facciamo**lo**!	*Zróbmy to!*

i   W przypadku skróconych form trybu rozkazującego (np. da') podwaja się pierwszą literę zaimka.

- **do zaprzeczonych form trybu rozkazującego albo do bezokolicznika bez końcowego -e** (por. 22; 25):

Non dir**melo**! = Non **me lo** dire!	*Nie mów mi tego!*
Devo parlar**ti**. = **Ti** devo parlare.	*Muszę z tobą porozmawiać.*

do gerundio (por. rozdz. 26):

Pensando**ci** bene, non mi va di uscire.	*Jeżeli się nad tym dobrze zastanowię, (to dochodzę do wniosku, że) nie mam ochoty [nigdzie] wychodzić.*

8 Zaimek wskazujący

8.1 Formy

	r.m. l. poj.	r.m. l. mn.	r.ż. l. poj.	r.ż l. mn.
ten	questo*	questi	questa*	queste
tamten	quello	quelli	quella	quelle
ten sam	stesso	stessi	stessa	stesse
to	ciò (*nieodmienne*)			

* Przed rzeczownikiem zaczynającym się na samogłoskę można opuszczać samogłoskę końcową rodzajnika:

quest'albergo   *ten hotel*   questa'arancia   *ta pomarańcza*

Quello jako zaimek odmienia się tak jak w poprzedniej tabeli. W funkcji przymiotnika natomiast dopasowuje się – jak rodzajnik określony (por. 2.1) – do litery początkowej rzeczownika:

rodzaj męski	l. poj.	l. mn.
przed spółgłoską	quel libro	quei libri
przed samogłoską	quell'albergo	quegli alberghi
przed s + spółgłoska	quello zaino	quegli zaini
rodzaj żeński	**l. poj.**	**l. mn.**
przed spółgłoską	quella camera	quelle camere
przed samogłoską	quell'amica	quelle amiche

8.2 Użycie

W języku włoskim ważną rolą odgrywa to, czy obiekt jest blisko, czy też daleko od mówiącego.

questo – *ten*
Questo wskazuje na osoby lub rzeczy, które znajdują się w bezpośredniej bliskości (przestrzennej lub czasowej) mówiącego. **Questo** można używać przymiotnikowo (tzn. przed rzeczownikiem) albo zaimkowo (samodzielnie):

Ti piace questa camicia?   *Podoba ci się ta koszula?*

Quest'anno ho passato le vacanze in Inghilterra.
Questi sono i miei amici.

W tym roku spędziłem wakacje w Anglii.
To są moi przyjaciele.

quello – *tamten, ów*
Quello służy do wskazywania na osoby lub rzeczy, które znajdują się w pewnym (przestrzennym lub czasowym) dystansie od obu rozmówców. Podobnie jak **questo**, może być używany jako przymiotnik lub jako zaimek:

Vedi **quel** tipo?
Vorrei provare **quei** pantaloni.

Quali? **Quelli** rossi?

Widzisz tamtego typa?
Chciałabym przymierzyć tamte spodnie.
– Które? Tamte czerwone?

ciò – *to*
Ciò ma neutralne znaczenie *to*. Może ono zastępować **questo** lub **quello**:

Fate ciò (= quello) che volete.
Ciò (= questo) è strano.
cioè

Zróbcie (to), co chcecie.
To jest dziwne.
to znaczy

stesso – *ten sam*
Stesso występuje zarówno w funkcji przymiotnika, jak i zaimka:

Abbiamo gli stessi amici.
Dice sempre lo stesso.

Mamy tych samych przyjaciół.
On(a) zawsze mówi to samo.

Jeżeli występuje po wyrazie określanym, ma znaczenie *sam*:

io stesso / a
i genitori stessi

ja sam / sama
sami rodzice

Jako przysłówek **lo stesso** znaczy *mimo to / wszystko*:

Vengo lo stesso.

Przyjdę mimo wszystko.

9 Zaimek dzierżawczy

	r.m. l. poj.	r.m. l. mn.	r.ż. l. poj.	r.ż. l. mn.
mój	mio	miei	mia	mie
twój	tuo	tuoi	tua	tue
jego, jej	suo	suoi	sua	sue
pana / pani*	Suo	Suoi	Sua	Sue
nasz	nostro	nostri	nostra	nostre
wasz / państwa*	vostro / Vostro	vostri / Vostri	vostra / Vostra	vostre / Vostre
ich / państwa*	loro / Loro			

* W języku włoskim istnieje tylko jedna forma 3. os. l. poj. Formy **suo** są zależne od rodzaju wyrazu określanego. W **formie grzecznościowej** rozróżnia się między jedną osobą a kilkoma: **Suo** (jedna osoba) lub **Vostro** (kilka osób). **Loro** stosuje się coraz rzadziej i tylko w sytuacji bardzo formalnej.

Zaimki dzierżawcze (oprócz loro) dopasowuje się – jak przymiotniki zakończone na -o/-a – do określanego przez nie wyrazu. Stoi przed nimi rodzajnik określony; wyrażają posiadanie.

Ha chiamato **la tua** amica Silvia.   *Dzwoniła twoja przyjaciółka Silvia.*
La loro casa mi piace molto.   *Ich dom bardzo mi się podoba.*

Rodzajnik określony opuszcza się:
● zwracając się do kogoś:

Mia cara!   *Moja droga!*

● w określeniach pokrewieństwa w l. poj.:

mio padre   *mój ojciec*   mia sorella   *moja siostra*

ale: w liczbie mnogiej, w liczbie pojedynczej w połączeniu z przymiotnikami lub w zdrobnieniach oraz przed loro rodzajnik stawia się zawsze:

le mie sorelle   *moje siostry*   la mia mammina *moja mamusia*
la mia sorella   *moja starsza*   la loro madre   *ich matka*
maggiore   *siostra*

● w utartych zwrotach:

a casa mia   *u mnie w domu*
da parte mia   *z mojej strony*

10 Zaimek nieokreślony

Zaimek nieokreślony uzupełnia lub zastępuje określenia osób lub rzeczy, które z jakichś względów nie mogą być sprecyzowane. Zaimków nieokreślonych używa się albo tylko przymiotnikowo, albo tylko zaimkowo, albo też w obu funkcjach.

10.1 Przegląd zaimków nieokreślonych

Najważniejsze zaimki nieokreślone to:

przymiotnik	
qualche	*jakiś, kilka*
ogni	*każdy / -a / -e, wszystkie*
qualsiasi, qualunque	*każdy / -a / -e (dowolny)*
alcuno/-a	*jakiś / -aś / -eś, jakikolwiek*

zaimek	
uno / -a	*ktoś*
qualcuno / -a	*ktoś*
qualcosa, qualche cosa	*coś*
ognuno / -a	*każdy / -a / -e*
chiunque	*każdy / -a / -e (dowolny / -a / -e)*
niente, nulla	*nic*

przymiotnik lub zaimek	
alcuni	*kilka*
altro / -a / -i / -e	*inny / -a / -i / -e*
certo / -a / -i / -e	*pewny / -a / -i /-e*
ciascuno / -a	*każdy / -a*
tutto / -a / -i / -e	*każdy / -a / -e, cały / -a / -li / -e*
nessuno / -a	*nikt, żaden / żadna*
poco / -a / -i / -e	*mało*
molto / -a / -i / -e	*dużo*
tanto / -a / -i / -e	*bardzo dużo*
parecchio / -a / -i / -e	*dość dużo*
troppo / -a / -i / -e	*za dużo*

10.2 Użycie

jakiś / jakikolwiek – ktoś – coś
Alcuno – w liczbie pojedynczej używany jest tylko jako przymiotnik – ma znaczenie *jakiś / jakikolwiek* i występuje tylko w zdaniach przeczących bądź zawierających wyrażenia o charakterze przeczącym.
Uno *ktoś*, **qualche cosa**, **qualcosa** *coś* i **qualcuno** *ktoś* stosowane są tylko jako zaimki i są – za wyjątkiem **uno / -a** – nieodmienne:

senza alcuna ragione	*bez jakiegokolwiek powodu*
Ha chiamato uno...	*Ktoś dzwonił ...*
Qualcuno ti ha cercato.	*Ktoś cię szukał.*
Vuoi bere qualcosa?	*Chcesz się czegoś napić?*

kilka, niektórzy / niektóre
Alcuni / -e występuje tylko w liczbie mnogiej i – jeżeli nie jest używane zaimkowo – jest zgodne (pod względem rodzaju) z wyrazem określanym. **Qualche** jest nieodmienne, ale wymaga zawsze rzeczownika w liczbie pojedynczej:

alcune volte = qualche volta	*czasami*
alcuni giorni = qualche giorno fa	*kilka dni temu*
Alcuni sostengono che...	*Niektórzy twierdzą, że ...*

inny
Jeżeli **altro** stoi przed rzeczownikiem, dopasowuje się do niego:

l'altra casa	*inny dom*

Bez rodzajnika określonego **altro** znaczy przeważnie *kolejny, jeszcze jeden*:

Vuole un'altra birra?	*Chce pan(i) jeszcze jedno piwo?*
Desidera altro?	*Życzy pan(i) sobie coś jeszcze?*
senz'altro	*bez problemów*

Inne zwroty z **altro**:

l'altro giorno	*niedawno*	l'altro ieri	*przedwczoraj*
tra l'altro	*między innymi*	tutt'altro	*wręcz przeciwnie*

każdy - wszyscy - cały
Następujące zaimki nieokreślone występują zawsze z rzeczownikiem (przeważnie w l. poj.) i są nieodmienne:

a) **ogni**

ogni giorno = tutti i giorni	*każdego dnia, codziennie*
ogni volta	*za każdym razem*
ale:	
ogni due giorni	*co drugi dzień*

b) **qualsiasi** i **qualunque**

Puoi chiamare a qualsiasi ora / qualunque ora.	*Możesz zadzwonić o każdej / dowolnej porze.*

Tylko zaimkami są:

a) **ognuno / -a**

Ognuno lo sa.	*Każdy to wie.*

b) **chiunque**

Chiunque farebbe lo stesso.	*Każdy zrobiłby tak samo (dosł.: to samo).*

Zarówno przymiotnikami, jak i zaimkami są:

a) **ciascuno / -a**
W funkcji przymiotnika dopasowuje się jak rodzajnik określony (por. 2.1) i jest synonimem **ognuno**:

A ciascuno il suo.	*Każdemu to, co jego.*
ciascun'amica	*każda przyjaciółka*

b) **tutto / -a / -e / -i**
W liczbie pojedynczej **tutto** ma znaczenie *cały*. W użyciu przymiotnikowym stoi zawsze przed rodzajnikiem określonym. Jeżeli poprzedza przymiotnik, trzeba go z nim uzgodnić. **Tutto** występujące samodzielnie ma znaczenie *wszystko*:

tutto **il** giorno	*cały dzień*
Anna diventò tutt**a** rossa.	*Anna zrobiła się cała czerwona.*
So tutto.	*Wiem wszystko.*

Tutto w liczbie mnogiej ma znaczenie *wszystkie / wszyscy* albo *każdy / -a*. W przeciwieństwie do **ogni** występuje – w funkcji przymiotnika – zawsze z rodzajnikiem określonym, który stoi między **tutti / -e** a wyrazem określanym. Jako zaimek pojawia się samodzielnie:

tutti **i** giorni	*każdego dnia, codziennie (dosł.: wszystkie dni)*
tutti e due	*obydwie*
Tutti mi guardavano.	*Wszyscy się na mnie patrzyli.*

nikt – żaden – nic
Nessuno *nikt, żaden* istnieje tylko w liczbie pojedynczej. Będąc przymiotnikiem, **nessuno** zachowuje się jak rodzajnik nieokreślony (por. 2.1), może być również używane jako zaimek. Z reguły występuje po czasowniku, który musi być zaprzeczony (por. 29.2):

Non ha **nessun** amico.	*On nie ma żadnego przyjaciela.*
Non è venuto nessuno.	*Nikt nie przyszedł.*

Niente *nic* znaczy to samo, co **nulla** – oba wyrazy są nieodmienne i używa się ich tylko jako zaimków. Proszę zwrócić uwagę, że również tutaj – identycznie jak w polskim – wymagane jest podwójne przeczenie (por. 29.2):

Non posso fare niente / nulla.	*Nie mogę nic zrobić.*

W mowie potocznej **niente** pojawia się w wykrzyknieniach i zdaniach eliptycznych również w towarzystwie rzeczownika:

Niente paura!	*Nic się nie bój! (dosł.: Nic strach! / Zero strachu!)*

mało / niewiele – dużo / wiele – za dużo / wiele
Te zaimki nieokreślone mogą być zarówno używane jako przymiotniki wyrażające nieokreśloną ilość / liczbę, jak i pełnić funkcję zaimków:

Ha pochi amici.	*On ma mało / niewielu przyjaciół.*
Molti volevano venire.	*Wielu chciało przyjść.*
Hanno parecchi soldi.	*Oni mają dość dużo pieniędzy.*
Ho mangiato troppo.	*Za dużo zjadłem.*

pewien
W liczbie pojedynczej stosuje się **certo** tylko w funkcji przymiotnika, w liczbie mnogiej zaś może ono występować również samodzielnie (i znaczyć *niektórzy*).

una certa persona	*pewna osoba*
Certe cose non si fanno.	*Pewnych rzeczy się nie robi.*
Certi dicono che...	*Niektórzy mówią, że ...*

11 Zaimek pytający

11.1 Pytania o osoby i rzeczy

chi? – *kto* / *kogo?*
Chi jest nieodmienne i używane tylko w odniesieniu do osób. Może się ono łączyć również z przyimkami (**di chi** *czyj* / *czyja* / *czyje*, *o kim?*, **a chi** *komu?*), ale zawsze bez rzeczownika:

Chi ha chiamato?	*Kto dzwonił?*
Chi hai chiamato?	*Do kogo dzwoniłeś?* / *Kogo wołałeś?*
Di chi state parlando?	*O kim rozmawiacie?*
A chi lo dici?	*Komu (ty) to mówisz?*

che / **che cosa** / **cosa?** – *co?*
Che, **che cosa** i **cosa** mają tutaj to samo znaczenie i są nieodmienne. **Cosa** (przed samogłoską lub h skracane często do **cos'**) i **che** występują jednakże tylko w języku mówionym:

Che cosa avete fatto?	*Co zrobiliście?*
Che cosa desidera?	*Czego pan* / *pani sobie życzy?*
Che fai stasera?	*Co robisz dziś wieczór?*
Cos' hai detto?	*Co powiedziałeś?*

che? – *jaki* / *jaka* / *jakie?* / *który* / *która* / *które?*
Che w znaczeniu *jaki, który?* zawsze towarzyszy rzeczownik, który jest również nieodmienny:

Che lavoro fai?	*Jaką pracę wykonujesz?*
Che autobus prendi?	*Jakim/Którym autobusem jedziesz?* / *Do którego autobusu wsiadasz?*
A che pagina?	*Na której stronie?*

Che może również występować w wykrzyknieniach – w połączeniu z przymiotnikiem lub rzeczownikiem: **Che bello!** *Wspaniale!* / *Świetnie!* / *Jaki piękny!*

quale? – *który* / *która* / *które?*
Quale? (l. poj. obu rodzajów), **quali?** (l. mn. obu rodzajów) odnosi się do osób i rzeczy i może być używane albo jako przymiotnik (= z rzeczownikiem), albo jako zaimek (= bez rzeczownika):

Quale maglietta scegli?	*Którą koszulkę* / *Który T-shirt wybierasz?*
Quali sono le tue scarpe?	*Które są twoje buty?*
Quali vuoi? Questi o quelli?	*Które chcesz? Te czy tamte?*

11.2 Pytania o przyczynę, miejsce, czas, ilość / liczbę i sposób

● **przyczyna** – *dlaczego?*

Perché non sei venuto?

Dlaczego nie przyszedłeś?

W języku potocznym często również:

Come mai non vieni anche tu?

Dlaczego ty też nie przyjdziesz? / Może ty też byś przyszedł?

● **miejsce** – *gdzie? dokąd? skąd?*

Dove sono le mie chiavi?

Gdzie są moje klucze?

Dove vai?

Gdzie / Dokąd idziesz?

Di dove sei? / Da dove vieni?

Skąd jesteś? / Skąd pochodzisz?

● **czas** – *kiedy? od kiedy? jak długo?*

Quando vieni?

Kiedy przyjdziesz?

A che ora ci vediamo?

O której godzinie się zobaczymy?

Da quando / da quanto tempo abita qui?

Od kiedy on / ona tu mieszka?

Quanto (tempo) rimanete in Italia?

Jak długo zostaniecie we Włoszech?

● **ilość / liczba** – *ile? ilu?*

Quanti anni hai?

Ile masz lat?

Quanti siete?

Ilu / ile (= grupa mieszana) was jest?

Quanto costa?

Ile to kosztuje?

● **sposób** – *jak?*

Come stai?

Jak się masz? / Jak leci?

12 Zaimek względny

Zaimek względny wprowadza zdanie podrzędne (względne), które zawiera bliższe informacje na temat rzeczownika, do którego ten zaimek się odnosi.

che
Che jest nieodmienne – może być ono użyte zarówno w funkcji podmiotu, jak i dopełnienia zdania względnego:

L'autore **che** ha vinto il Premio Strega...
Autor, który wygrał Premio Strega,...

I libri **che** mi ha comprato mia madre non mi piacciono.
Książki, które kupiła mi matka, nie podobają mi się.

Jeżeli **che** pojawia się w połączeniu z **il**, ma znaczenie *co*:

Ho sentito del tuo successo, **il che** mi ha fatto molto piacere.
Słyszałem o twoim sukcesie, co mnie bardzo ucieszyło.

przyimek + cui
Jeżeli zdanie względne zaczyna się od przyimka, używa się nieodmiennego **cui**:

Ho letto il libro **di cui** mi hai parlato.
Przeczytałem książkę, o której mi mówiłeś.

Jeśli **cui** pojawia się bez przyimka, ma znaczenie *którego / której* – stoi ono wtedy między rodzajnikiem a rzeczownikiem:

Lo scrittore, il **cui** libro mi è piaciuto moltissimo,...
Pisarz, którego książka bardzo mi się podobała, ...

quale
Quale jako zaimek względny łączy się zawsze z rodzajnikiem określonym. Zgadza się ono pod względem liczby i rodzaju z określanym rzeczownikiem i – przede wszystkim w języku pisanym – **zastępuje che** lub **konstrukcję przyimek + cui**. W przypadku niektórych przyimków rodzajnik określony towarzyszący **quale** zlewa się z przyimkiem (por. 2.3).

r. m. l. poj.	r. m. l. mn.	r. ż. l. poj.	r. ż. l. mn.
il quale	i quali	la quale	le quali

Il libro del quale (= di cui) ti ho parlato.
Książka, o której ci mówiłem, ...

La casa nella quale (=in cui) vivo...
Dom, w którym mieszkam, ...

13 Czas teraźniejszy

13.1 Formy

Odmiana regularna

-are	-ere	-ire	
chiamare *wołać / dzwonić*	**prendere** *brać*	a) **dormire** *spać*	b) **capire** *rozumieć*
chiam-**o**	prend-**o**	dorm-**o**	cap-isc-**o**
chiam-**i**	prend-**i**	dorm-**i**	cap-isc-**i**
chiam-a	prend-e	dorm-e	cap-isc-e
chiam-**iamo**	prend-**iamo**	dorm-**iamo**	cap-**iamo**
chiam-ate	prend-ete	dorm-ite	cap-ite
chiam-ano	prend-ono	dorm-ono	cap-isc-ono

W języku włoskim wyróżnia się trzy odmiany (koniugacje) czasowników: pierwszą tworzą czasowniki zakończone na -**are**, drugą – na -**ere**, trzecią – na -**ire**. Do tematu czasownika (czyli tego, co zostaje po odjęciu końcówki -**are**, -**ere** lub -**ire**) dodaje się końcówki osobowe. Akcent pada zawsze na przedostatnią sylabę – oprócz 3. os. l. mn., w której akcentowana jest trzecia sylaba od końca (podkreślona w tabeli). Końcówki jednakowe dla wszystkich odmian zostały wytłuszczone.

Trzecia koniugacja dzieli się w czasie teraźniejszym na dwie podgrupy: w czasownikach należących do podgrupy b) dodaje się w całej liczbie pojedynczej oraz w 3. os. l. mnogiej sylabę -**isc**- – wstawia się ją między tematem czasownika a końcówką. Należy tu uważać na różną wymowę -sc- (capisco [sk], capisci [sz]). Do wspomnianej podgrupy należą m.in. następujące czasowniki:

finire	*kończyć*	preferire	*woleć*
pulire	*czyścić*	spedire	*wysyłać*
costruire	*budować*	ferire	*ranić*
sparire	*znikać*	sostituire	*zastępować*

Osobliwości
● Czasowniki zakończone na **-care/-gare**
W celu zachowania wymowy [k] i [g] dodaje się w 2. os. l. poj. oraz w 1. os. l. mn. literę **h**:

cercare *szukać / próbować*	(io) cerco,	*ale*: (tu) cer**ch**i,	(noi) cer**ch**iamo
pagare *płacić*	(io) pago,	*ale*: (tu) pa**gh**i,	(noi) pa**gh**iamo

● Czasowniki zakończone na **-ciare/-giare/-iare**
Jeżeli do tematu takiego czasownika dodaje się końcówkę zaczynającą się od **i**, jedno **i** wypada:

cominciare *zaczynać*	(io) comincio,	(tu) cominci,	(noi) cominciamo
mangiare *jeść*	(io)mangio,	(tu) mangi,	(noi) mangiamo
studiare *uczyć się*	(io) studio,	(tu) studi,	(noi) studiamo

● Czasowniki zakończone na **-cere/-gere**
W tym przypadku zostaje zachowana pisownia, tzn. nie dodaje się **-h-**, tylko zmienia się wymowa:

vincere *zwyciężać / wygrywać*	(io) vinco [k],	(tu) vinci [cz],	(lui, lei) vince [cz] itd.
leggere *czytać*	(io) leggo [g],	(tu) leggi [dż],	(lui, lei) legge [dż] itd.

Czasowniki nieregularne
Czasowniki posiłkowe **essere** i **avere** mają w czasie teraźniejszym odmianę nieregularną:

essere *być*		**avere** *mieć*	
sono	siamo	ho	abbiamo
sei	siete	hai	avete
è	sono	ha	hanno

13.2 Użycie

Czasu teraźniejszego (il presente) używamy w celu wyrażenia:

● czynności odbywającej się w **teraźniejszości**:

Paolo lavora in una libreria.   *Paolo pracuje w księgarni.*

● czynności, która ma się odbyć w **niedalekiej przyszłości** i jest pewna:

Domani parto per Parigi.   *Jutro wyjeżdżam do Paryża.*

● czynności zwyczajowej (**powtarzającej się**):

Ogni lunedì vado al corso d'italia-   *W każdy poniedziałek chodzę na*
no.   *kurs włoskiego.*

● **twierdzenia o charakterze ponadczasowym**:

Lavorare stanca.   *Praca męczy.*

14 Czas przeszły niedokonany

14.1 Formy

Odmiana regularna

chiamare *wołać / dzwonić*	prendere *brać*	dormire *spać*
chiama-**vo**	prende-**vo**	dormi-**vo**
chiama-**vi**	prende-**vi**	dormi-**vi**
chiama-**va**	prende-**va**	dormi-**va**
chiama-**vamo**	prende-**vamo**	dormi-**vamo**
chiama-**vate**	prende-**vate**	dormi-**vate**
chiama-**vano**	prende-**vano**	dormi-**vano**

Po odrzuceniu **-re** od bezokolicznika dodajemy końcówki czasu przeszłego niedokonanego (imperfetto), które są jednakowe dla wszystkich trzech odmian. Formy czasowników należących do poszczególnych koniugacji różnią się więc tylko pierwszą literą końcówki bezokolicznika (**-a-**, **-e-** lub **-i-**). Oprócz 3. os. l. mn. akcent pada na przedostatnią sylabę.

Wszystkie czasowniki zakończone na **-ire** tworzą formy czasu imperfetto w ten sam sposób. Również czasownik **avere** odmienia się tu regularnie, tak jak np. prendere.

Czasowniki nieregularne
Czasownik posiłkowy **essere** odmienia się w imperfetto nieregularnie:

essere *być*	
ero	eravamo
eri	eravate
era	erano

Inne nieregularne formy czasu imperfetto:

bere	*pić*	bevevo
dire	*mówić / powiedzieć*	dicevo
fare	*robić*	facevo
proporre	*proponować*	proponevo
produrre	*produkować*	producevo

Inne czasowniki o odmianie nieregularnej patrz s. 227-234.

14.2 Użycie

Czas przeszły imperfetto służy **do wyrażania niedokonanych czynności i zdarzeń mających miejsce w przeszłości**, tzn. do wyrażania:

● **opisów:**

Aveva i capelli lunghi, gli occhi neri e...	*Miała długie włosy, czarne oczy i ...*
La camera era luminosa.	*Pokój był jasny.*

● **stanów cielesnych i duchowych:**

Non ti ho più chiamato, perché ero stanco morto.	*Nie zadzwoniłem już do ciebie, bo padałem ze zmęczenia.*

● **czynności zwyczajowych, odbywających się w przeszłości:**

Usciva sempre la sera.	*Wieczorem zawsze chodziła się bawić.*

● **czynności, która została przerwana przez inną – po mentre** (*podczas gdy*):

Mentre guardavamo la TV, è suonato il telefono.	*(Podczas) gdy oglądaliśmy telewizję, zadzwonił telefon.*

● **dwóch czynności odbywających się jednocześnie:**

Mentre parlavo, pensavo ad altre cose.	*(Podczas) gdy mówiłem, myślałem o innych rzeczach.*

● **uprzejmej prośby** (zamiast trybu warunkowego, por. 19.2):

Volevo sapere, se...	*Chciałbym wiedzieć, czy...*

● **w języku mówionym w zdaniu warunkowym** (zamiast trybu warunkowego przeszłego, por. 19.3, i trybu łączącego, por. 20.3):

Se lo sapevo (= l'avessi saputo), non venivo (= sarei venuto)	*Gdybym to (był) wiedział, nie przyszedłbym.*
Potevi (= avresti potuto) dirmelo.	*Mogłeś mi to powiedzieć.*

15 Czas przeszły bliski

15.1 Formy

andare *iść*		vendere *sprzedawać*		dormire *spać*	
sono	andato / -a	ho	venduto	ho	dormito
sei	andato / -a	hai	venduto	hai	dormito
è	andato / -a	ha	venduto	ha	dormito
siamo	andati / -e	abbiamo	venduto	abbiamo	dormito
siete	andati / -e	avete	venduto	avete	dormito
sono	andati / -e	hanno	venduto	hanno	dormito

Czas przeszły bliski (passato prossimo) tworzymy za pomocą czasu teraźniejszego czasowników **essere** lub **avere** i imiesłowu biernego (participio passato) (por. 27.3, 27.4). W przypadku passato prossimo z **essere** forma imiesłowu biernego musi być zgodna z podmiotem pod względem liczby i rodzaju.

Uzgadnianie imiesłowu biernego w passato prossimo z **avere** w połączeniu z **lo / la / li / le** por. 7.2.

● **Passato prossimo z essere**
Czas przeszły passato prossimo z **essere** tworzą:

czasowniki wyrażające ruch i stan:

Perché non siete venuti?	*Dlaczego nie przyszliście?*
Sono andata al cinema.	*Poszłam do kina.*
Sabato sono rimasta a casa.	*W sobotę zostałam w domu.*

czasowniki zwrotne:

Ti sei lavato le mani?	*Myłeś (sobie) ręce?*

wyrażenia bezosobowe:

La Sicilia vi è piaciuta?	*Podobała wam się Sycylia?*
È piovuto / nevicato.	*Padało. / Padał śnieg.*

Czasowniki wyrażające **stany pogodowe** mogą w języku potocznym tworzyć passato prossimo także z **avere** – tak samo się dzieje również w przypadku, gdy podaje się czas trwania:

Ha piovuto tutto il giorno.	*Padało cały dzień.*

czasowniki modalne w połączeniu z czasownikiem wymagającym essere jako czasownika posiłkowego:

Non sono potuto/-a venire.	*Nie mogłem/am przyjść.*
Si è voluto alzare presto.	*Chciał wcześnie wstać.*
ale: **Ha** voluto alzar**si** presto.	

czasowniki durare (*trwać*), **costare** (*kosztować*), **bastare** (*wystarczać*), **servire** (*służyć / przydawać się*):

Il film è durato quasi tre ore.	*Film trwał prawie trzy godziny.*
Queste scarpe mi **sono** costate un occhio della testa.	*Te buty kosztowały mnie majątek.*
I soldi ti **sono** bastati?	*Wystarczyło ci pieniędzy?*
Il libro ti è servito?	*Przydała ci się ta książka?*

● **Passato prossimo z avere:**
Passato prossimo z **avere** tworzą wszystkie **czasowniki przechodnie**, tzn. wszystkie czasowniki mające dopełnienie bliższe (w jęz. polskim przeważnie w bierniku):

Laura gli ha scritto una lettera.   *Laura napisała do niego list.*

Avere jako czasownika posiłkowego, wymagają poza tym następujące czasowniki wyrażające ruch, przy których nie jest podawany ani punkt wyjścia, ani cel:

camminare	*chodzić, wędrować*	passeggiare	*spacerować*
nuotare	*pływać*	sciare	*jeździć na nartach*
correre	*biegać*	viaggiare	*podróżować*

Abbiamo camminato per ore.   *Wędrowaliśmy godzinami.*

● **Passato prossimo z essere lub avere**
Niektóre czasowniki mogą tworzyć passato prossimo z **essere** lub **avere** – jeżeli występują w połączeniu z dopełnieniem bliższym albo dopełnieniem bezokolicznikowym, używa się **avere**, a w pozostałych przypadkach – **essere**:

cominciare / finire:

cominciato (a leggere) un bel libro.   *Zacząłem (czytać) piękną książkę.*
Sbrigati, il film è già cominciato.   *Pośpiesz się, film się już zaczął.*

passare:

Abbiamo passato delle vacanze bellissime.	*Spędziliśmy wspaniałe wakacje.*
Siamo passati per Roma.	*Przejeżdżaliśmy przez Rzym.*

15.2 Użycie

Za pomocą passato prossimo wyrażamy:
● **czynność jednorazową,** która w momencie mówienia jest już **zakończona:**

Mi sono alzata alle sette.	*Wstałam o siódmej.*
Sono appena tornati.	*Dopiero co wrócili.*

● **czynność,** która **nagle przerywa inną:**

Mentre mangiavo, è arrivata la mia amica Anna.	*Gdy jadłem, przyszła moja przyjaciółka Anna.*

● **serię czynności dokonanych,** które są wyliczane:

Mi sono alzata alle sette, ho fatto la doccia e sono uscita alle otto.	*Wstałam o siódmej, wzięłam prysznic i wyszłam o ósmej.*

 Niektóre czasowniki mają w passato prossimo inne znaczenie niż w imperfetto:

La conoscevo da tempo.	**Znałem** ją od dawna.
L'ho conosciuto qualche mese fa.	**Poznałem** go kilka miesięcy temu.
Non lo sapevi?	Nie **wiedziałeś** (tego)?
L'ho saputo solo ieri.	**Dowiedziałem się** o tym dopiero wczoraj.

16 Czas przeszły odległy

16.1 Formy

Odmiana regularna

chiamare *wołać / dzwonić*	vendere *sprzedawać*	partire *wyjeżdżać*
chiamai	vendei / etti	partii
chiamasti	vendesti	partisti
chiamò	vendè / ette	partì
chiamammo	vendemmo	partimmo
chiamaste	vendeste	partiste
chiamarono	venderono	partirono

Formy czasu przeszłego odległego (passato remoto) tworzymy, dodając do tematu fleksyjnego czasownika odpowiednie końcówki. Trzy odmiany (koniugacje) różnią się charakterystycznymi dla siebie samogłoskami a (uwaga: wyjątkiem jest 3. os. l. poj.), e lub i. Oprócz 3. os. l. mn. akcent pada zawsze na przedostatnią sylabę.

Odmiana nieregularna
W grupie czasowników posiłkowych essere ma formy nieregularne we wszystkich osobach, avere natomiast tylko w 1. i 3. os. l. poj. oraz w 3. os. l. mn.):

essere *być*		avere *mieć*	
fui	fummo	ebbi	avemmo
fosti	foste	avesti	aveste
fu	furono	ebbe	ebbero

Wiele czasowników, przeważnie zakończonych na -ere, odmienia się w passato remoto nieregularnie; należy przy tym zwrócić uwagę na to, że tak jak w przypadku avere nieregularna jest tylko 1. i 3. os. l. poj. oraz 1. os. l. mn., np.:

chiudere *zamykać*	
chiusi	chiudemmo
chiudesti	chiudeste
chiuse	chiusero

Inne przykłady (podane zostały tylko formy nieregularne):

chiedere *pytać*	(io) chiesi,	(lui/lei)chiese,	(loro) chiesero
sapere *wiedzieć*	(io) seppi,	(lui/lei) seppe,	(loro) seppero
volere *chcieć*	(io) volli,	(lui/lei) volle,	(loro) vollero
bere *pić*	(io) bevvi,	(lui/lei) bevve,	(loro)bevvero
dire *mówić* / *powiedzieć*	(io) dissi,	(lui/lei) disse,	(loro)dissero

16.2 Użycie

Czas przeszły passato remoto używany jest obecnie przeważnie tylko w tekstach literackich. W języku mówionym jest on prawie wszędzie – poza południem Włoch i Toskanią – zastępowany czasem passato prossimo. Stąd też w przypadku tego czasu wystarczy dobra znajomość bierna.
Passato remoto służy do mówienia **o wydarzeniach historycznych, dokonanych**, które miały miejsce **dawno temu**. W przeciwieństwie do passato prossimo **nie ma** tu żadnego **związku z teraźniejszością**.

Michelangelo abbandonò per più di vent'anni la pittura e si dedicò alla scultura e all'architettura.

Michał Anioł porzucił malarstwo na ponad dwadzieścia lat i poświęcił się rzeźbie i architekturze.

Nacque nel 1921.

Urodził się w roku 1921 (tzn. już nie żyje).

È nato nel 1921.

Urodził się w roku 1921 (tzn. jeszcze żyje).

Si conobbero 30 anni fa.

Poznali się 30 lat temu (ale już długo nie mieli ze sobą żadnego kontaktu).

Si sono conosciuti 30 anni fa.

Poznali się 30 lat temu (i znają się do dziś).

59

17 Czas zaprzeszły bliski

17.1 Formy

chiamare *wołać / dzwonić*		partire *wyjeżdżać*	
avevo	chiamato	ero	partito/-a
avevi	chiamato	eri	partito/-a
aveva	chiamato	era	partito/-a
avevamo	chiamato	eravamo	partiti/-e
avevate	chiamato	eravate	partiti/-e
avevano	chiamato	erano	partiti/-e

Formy czasu zaprzeszłego bliskiego (trapassato prossimo) tworzymy, dodając do **avere** lub **essere**, odmienionych w czasie imperfetto, imiesłów bierny (participio passato), którego końcówka w przypadku połączenia z **essere** musi zostać uzgodniona z podmiotem zdania.

17.2 Użycie

Czasu trapassato prossimo używamy wtedy, gdy mówimy o czynności przeszłej, która miała miejsce bądź się zakończyła przed inną czynnością przeszłą (wyrażoną w czasie passato prossimo lub passato remoto):

Quando l'abbiamo visto, aveva già superato gli esami.

Gdy się z nim widzieliśmy, zdał już egzaminy / był już po zdaniu egzaminów / miał już zdane egzaminy.

Quando sono arrivato, lo spettacolo era già finito.

Gdy przyszedłem, przedstawienie już się skończyło / było już po przedstawieniu.

Oprócz trapassato prossimo w języku włoskim jest jeszcze inny czas, który wyraża „zaprzeszłość", ale jest stosowany o wiele rzadziej – trapassato remoto. Składa on się z passato remoto czasowników **essere** lub **avere** i imiesłowu biernego (participio passato). Pojawia się on tylko w zdaniach podrzędnych zaczynających się od **quando** *gdy*, **dopo che** *po tym jak*, **appena che**, **non appena** *jak tylko / ledwo*. W zdaniu nadrzędnym trzeba wtedy użyć czasu passato remoto:

Quando **ebbe superato** gli esami, fece una grande festa.

Gdy zdał egzaminy, / Po zdaniu egzaminów urządził wielkie przyjęcie.

Dopo che **ebbi mangiato**, andai a dormire.

Gdy zjadłem, poszedłem spać.

18 Czasy przyszłe

18.1 *Futuro semplice* (czas przyszły prosty)

Formy
Odmiana regularna

chiamare *wołać /* dzwonić	vendere *sprzedawać*	partire *wyjeżdżać*
chiamer-ò	vender-ò	partir-ò
chiamer-ai	vender-ai	partir-ai
chiamer-à	vender-à	partir-à
chiamer-emo	vender-emo	partir-emo
chiamer-ete	vender-ete	partir-ete
chiamer-anno	vender-anno	partir-anno

W celu utworzenia form futuro semplice (czasu przyszłego prostego), do bez-okolicznika pozbawionego litery **-e** dodaje się końcówki właściwe dla tego czasu, które są jednakowe dla wszystkich trzech odmian (koniugacji). W przypadku czasowników zakończonych na -are, -a- z końcówki zamienia się na **-e-**. Krótkie czasowniki jak **stare** (*stać*), **fare** (*robić*), **dare** (*dawać*) zachowują jednak pierwotną samogłoskę (**star-, far-, dar-,** itd.). Sylaby akcentowane zostały w tabeli podkreślone, o ile nie mają już akcentu graficznego.

Osobliwości
Czasowniki zakończone na **-care / -gare**
W celu zachowania wymowy [k]˙i [g] wstawia się **h** między tematem fleksyjnym a końcówką:

cercare *szukać / próbować*	(io) cercherò.	(tu) cercherai...
pagare *płacić*	(io) pagherò,	(tu) pagherai...

Czasowniki zakończone na **-ciare / -giare**
Należące do tematu **i** wypada:

cominciare *zaczynać*	(io) comincerò.	(tu) comincerai...
mangiare *jeść*	(io) mangerò,	(tu) mangerai...

Formy nieregularne
W przypadku niektórych czasowników **zanika samogłoska początkowa koncówki (a** lub **e)**:

andare *iść*	andrò	sapere *wiedzieć*	saprò
vivere *żyć*	vivrò	dovere *musieć*	dovrò
potere *móc*	potrò	vedere *widzieć*	vedrò

Inna grupa czasowników ma w futuro semplice **podwójne -r-:**

venire *przychodzić*	verrò	volere *chcieć*	vorrò
bere *pić*	berrò	rimanere *zostawać*	rimarrò

Avere odmienia się w futuro semplice tak samo jak potere:

avere *mieć*	
avrò	avremo
avrai	avrete
avrà	avranno

Essere natomiast ma odmianę całkowicie nieregularną:

essere *być*	
sarò	saremo
sarai	sarete
sarà	saranno

18.2 Użycie *futuro semplice*

Futuro semplice wyraża czynność **mającą się odbyć w przyszłości.** Jeżeli jest ona pewna (zaplanowana), futuro semplice zastępuje się często czasem teraźniejszym (presente) (por. 13.2):

Domani verrà / viene mia madre.	*Jutro przyjedzie / przyjeżdża moja matka.*
Partiremo verso la fine di agosto.	*Wyjedziemy pod koniec sierpnia.*

Futuro semplice może jednak służyć również do wyrażania **przypuszczenia:**

Avrà 26 anni.	*Będzie miał jakieś 26 lat (= ma pewnie 26 lat).*

| Saranno le dieci. | *Będzie koło dziesiątej (= jest pewnie koło dziesiątej).* |

> **i** Czynność mającą się odbyć zaraz wyraża się często za pomocą konstrukcji **stare + per + bezokolicznik:**

| Sto per finire. | *Zaraz skończę / Właśnie kończę.* |
| Sandra sta per uscire. | *Sandra już wychodzi / zaraz wyjdzie.* |

18.3 *Futuro anteriore* (czas przyszły uprzedni)

Formy

chiamare *wołać / dzwonić*		partire *wyjeżdżać*	
avrò	chiamato	sarò	partito
avrai	chiamato	sarai	partito
avrà	chiamato	sarà	partito
avremo	chiamato	saremo	partiti
avrete	chiamato	sarete	partiti
avranno	chiamato	saranno	partiti

Formy futuro anteriore (czas przyszły uprzedni) tworzy się poprzez połączenie formy futuro semplice czasownika posiłkowego (**avere** lub **essere**) i imiesłowu biernego (participio passato). Tak jak w innych czasach złożonych, w przypadku gdy czasownikiem posiłkowym jest **essere**, końcówkę imiesłowu biernego należy uzgodnić z podmiotem zdania.

18.4 Użycie *futuro anteriore*

Futuro anteriore wyraża **czynność przyszłą, która odbędzie się przed inną czynnością przyszłą:**

> Appena sarò tornato, mi farò vivo.   *Jak tylko wrócę, dam znać / odezwę się.*

Tak jak futuro semplice, futuro anteriore może służyć do wyrażania przypuszczenia – tyle że dotyczącego przeszłości:

| Ci sarà stato qualcuno. | *Ktoś tu chyba był.* |
| Marco avrà bevuto troppo. | *Pewnie Marco za dużo wypił.* |

19 Tryb warunkowy

19.1 Tryb warunkowy teraźniejszy

Formy
Odmiana regularna

chiamare *wołać /* dzwonić	vendere *sprzedawać*	partire *wyjeżdżać*
chiamer-ei	vender-ei	partir-ei
chiamer-esti	vender-esti	partir-esti
chiamer-ebbe	vender-ebbe	partir-ebbe
chiamer-emmo	vender-emmo	partir-emmo
chiamer-este	vender-este	partir-este
chiamer-ebbero	vender-ebbero	partir-ebbero

Tak jak w futuro semplice, dodaje się tutaj do bezokolicznika pozbawionego litery **-e** końcówki, które są jednakowe dla wszystkich trzech odmian. Poza tym – identycznie jak w futuro semplice – w czasownikach zakończonych na **-are** **-a-** należące do końcówki bezokolicznika wymienia się na **-e-**. Akcent pada na przedostatnią sylabę, o ile nie została podkreślona inna. Krótkie czasowniki, takie jak **stare** (*stać*), **fare** (*robić*), **dare** (*dawać*), zachowują jednak również w trybie warunkowym teraźniejszym (condizionale presente) pierwotną samogłoskę (starei, farei, darei itd.).

Formy nieregularne
Czasowniki, w których w futuro semplice odrzuca się samogłoskę początkową końcówki (**a** lub **e**), zachowują tę modyfikację także w condizionale presente:

andare *iść*	andrei	sapere *wiedzieć*	saprei
vivere *żyć*	vivrei	dovere *musieć*	dovrei
potere *móc*	potrei	vedere *widzieć*	vedrei

W następujących czasownikach **podwaja się** również – jak w futuro semplice – litera **-r**:

venire *przychodzić*	verrei	volere *chcieć*	vorrei
bere *pić*	berrei	rimanere *pozostawać*	rimarrei

64

Avere odmienia się w condizionale presente tak jak potere (patrz wyżej), **essere** natomiast ma odmianę nieregularną, która opiera się na tym samym temacie fleksyjnym co futuro semplice:

essere *być*		**avere** *mieć*	
sarei	saremmo	avrei	avremmo
saresti	sareste	avresti	avreste
sarebbe	sarebbero	avrebbe	avrebbero

Osobliwości
Tak jak w presente i futuro semplice, w czasownikach zakończonych na **-care** i **-gare** wstawia się **h** między tematem fleksyjnym a końcówką condizionale presente:

cercare *szukać / próbować*	(io) cercherei,	(tu) cercheresti...
pagare *płacić*	(io) pagherei,	(tu) pagheresti...

Natomiast w przypadku czasowników zakończonych na **-ciare** i **-giare** odrzuca się **-i-**:

lasciare *pozwolić*	(io) lascerei,	(tu) lasceresti...
mangiare *jeść*	(io) mangerei,	(tu) mangeresti...

19.2 Użycie *condizionale presente*

Condizionale presente, któremu w języku polskim odpowiada przeważnie tryb warunkowy (przypuszczający) czasu teraźniejszego, służy do wyrażania:
● **uprzejmego życzenia bądź uprzejmej prośby**:

Vorrei un cappuccino.   *Poproszę (dosł. chciałbym) cappuccino.*

Potrebbe portare un altro cappuccino?   *Mógłby [mi] pan podać (dosł. przynieść) jeszcze jedno cappuccino?*

● **czynności nierealnej w teraźniejszości**:

Vorrei volentieri, ma...   *Chętnie bym przyszedł, ale ...*
So che verrebbe volentieri.   *Wiem, że chętnie by przyszedł.*

● **czynności nierealnej** w zdaniu głównym towarzyszącym zdaniu warunkowemu (por. 20.3):

Se avessi tempo, verrei volentieri.   *Gdybym miał czas, chętnie bym przyszedł.*

● **swojego zdania** (rady, sugestii) **w sposób delikatny**:

(Secondo me) potresti almeno chiamarla.   *(Według mnie) mógłbyś do niej przynajmniej zadzwonić.*

● **ostrożnego przytoczenia zdania** / doniesień **innych osób** (często w języku prasy):

Il presidente sarebbe malato.   *Prezydent jest ponoć/podobno chory.*

19.3 Tryb warunkowy przeszły

Formy

chiamare *wołać / dzwonić*		**partire** *wyjeżdżać*	
avrei	chiamato	sarei	partito/-a
avresti	chiamato	saresti	partito/-a
avrebbe	chiamato	sarebbe	partito/-a
avremmo	chiamato	saremmo	partiti/-e
avreste	chiamato	sareste	partiti/-e
avrebbero	chiamato	sarebbero	partiti/-e

Tryb warunkowy przeszły (condizionale passato) składa się z condizionale presente czasowników posiłkowych (**avere** lub **essere**) i imiesłowu biernego (participio passato). Jeżeli czasownikiem posiłkowym jest **essere**, końcówkę imiesłowu biernego należy uzgodnić z podmiotem zdania.

19.4 Użycie *condizionale passato*

Condizionale passato używa się podobnie jak condizionale presente – z tą jednak różnicą, że condizionale passato, któremu w języku polskim przeważnie odpowiada tryb warunkowy (przypuszczający) teraźniejszy (czasami również przeszły – formy w nawiasach, jako rzadziej używane), wyraża:

● **nierealne** (nie dające się spełnić) **życzenie przeszłe**:

Sarei andata volentieri a casa.   *Chętnie bym [wtedy] poszła do domu (albo: byłabym poszła).*

Sarei venuto volentieri, ma avevo molto da fare.	*Chętnie bym [wtedy] przyszedł, ale miałem dużo do roboty (albo: byłbym przyszedł).*
So che sarebbe venuto volentieri.	*Wiem, że on by [wtedy] chętnie przyszedł (albo: byłby przyszedł).*

● **czynność nierealną przeszłą** w zdaniu głównym towarzyszącym zdaniu warunkowemu (por. 20.3):

Sarei venuto a trovarti, se non avessi dovuto lavorare tanto.	*Odwiedziłbym cię [wtedy], gdybym nie musiał tyle pracować (albo: Byłbym cię odwiedził, gdybym nie musiał (był) tyle pracować).*

● **zdanie albo doniesienie innych osób**:

Secondo alcuni giornali il presidente sarebbe stato malato.	*Według niektórych gazet prezydent był chory.*

● **czas przyszły** / **następowanie w przeszłości** (por. 21):

Sapevo che mi avrebbe chiamato.	*Wiedziałem / am, że do mnie zadzwoni.*

20 Tryb łączący

20.1 Informacje ogólne

Podczas gdy tryb oznajmujący przedstawia daną czynność w sposób obiektywny i pewny, congiuntivo wyraża wątpienie, możliwość, życzenie, subiektywność i niepewność. Istnieje on tylko w czterech czasach: presente, imperfetto, passato prossimo i trapassato prossimo.

20.2 Formy

20.2.1 Congiuntivo presente

Odmiana regularna

chiamare wołać / dzwonić	prendere brać	a) dormire spać	b) capire rozumieć
chiam-i	prend-a	dorm-a	cap-isc-a
chiam-i	prend-a	dorm-a	cap-isc-a
chiam-i	prend-a	dorm-a	cap-isc-a
chiam-iamo	prend-iamo	dorm-iamo	cap-iamo
chiam-iate	prend-iate	dorm-iate	cap-iate
chiam-ino	prend-ano	dorm-ano	cap-isc-ano

W obrębie jednej koniugacji formy l. poj. nie różnią się od siebie. Dlatego też – w celu sprecyzowania osoby – w liczbie pojedynczej używa się zaimków osobowych podmiotu, mimo że nie chodzi tu o specjalnie ich podkreślenie. Czasowniki zakończone na **-ere** i **-ire** mają identyczne końcówki, natomiast we wszystkich koniugacjach jednakowe są końcówki 1. i 2. os. l. mn.

 Wszystkie czasowniki, które wykazują osobliwości odmiany w trybie oznajmującym presente, zachowują je również w congiuntivo: chodzi tu o czasowniki zakończone na **-ire**, w których dodaje się **-isc-**, czasowniki zakończone na **-care** / **-gare** itd. (por. 13.1).

Czasowniki nieregularne
Czasowniki nieregularne mają w congiuntivo presente ten sam temat fleksyjny, co w trybie oznajmującym.

Czasowniki posiłkowe odmieniają się w congiuntivo presente nieregularnie:

essere *być*		avere *mieć*	
sia	siamo	abbia	abbiamo
sia	siate	abbia	abbiate
sia	siano	abbia	abbiano

20.2.2 Congiuntivo imperfetto
Odmiana regularna

chiamare *wołać / dzwonić*	prendere *brać*	dormire *spać*
chiama-**ssi**	prende-**ssi**	dormi-**ssi**
chiama-**ssi**	prende-**ssi**	dormi-**ssi**
chiama-**sse**	prende-**sse**	dormi-**sse**
chiama-**ssimo**	prende-**ssimo**	dormi-**ssimo**
chiama-**ste**	prende-**ste**	dormi-**ste**
chiama-**ssero**	prende-**ssero**	dormi-**ssero**

Wszystkie trzy koniugacje mają jednakowe końcówki w congiuntivo imperfetto – różnią się tylko samogłoską końcową tematu fleksyjnego.

Czasowniki nieregularne
Czasownik posiłkowy **essere** ma nieregularne formy congiuntivo imperfetto. Natomiast w przypadku czasowników **stare** i **dare** samogłoska **-a-** zamienia się we wszystkich osobach na **-e-**:

essere *być*		stare *stać / zostawać*		dare *dawać*	
fossi	fossimo	stessi	stessimo	dessi	dessimo
fossi	foste	stessi	steste	dessi	deste
fosse	fossero	stesse	stessero	desse	dessero

 Fare *robić* tworzy jednak congiuntivo imperfetto – tak samo jak tryb oznajmujący imperfetto – na podstawie pierwotnego tematu fleksyjnego fac- (**facessi**). **Avere** zaś odmienia się regularnie (jak prendere).

20.2.3 Congiuntivo passato

andare iść		vendere sprzedawać		dormire spać	
sia	andato / -a	abbia	venduto	abbia	dormito
sia	andato / -a	abbia	venduto	abbia	dormito
sia	andato / -a	abbia	venduto	abbia	dormito
siamo	andati / -e	abbiamo	venduto	abbiamo	dormito
siate	andati / -e	abbiate	venduto	abbiate	dormito
siano	andati / -e	abbiano	venduto	abbiano	dormito

Congiuntivo passato składa się z congiuntivo presente czasowników posiłkowych (**essere** lub **avere**) i imiesłowu biernego (participio passato). Jeżeli czasownikiem posiłkowym jest **essere**, imiesłów bierny musi się zgadzać z podmiotem zdania pod względem liczby i rodzaju.

20.2.4 Congiuntivo trapassato

andare iść		vendere sprzedawać		dormire spać	
fossi	andato / -a	avessi	venduto	avessi	dormito
fossi	andato / -a	avessi	venduto	avessi	dormito
fosse	andato / -a	avesse	venduto	avesse	dormito
fossimo	andati / -e	avessimo	venduto	avessimo	dormito
foste	andati / -e	aveste	venduto	aveste	dormito
fossero	andati / -e	avessero	venduto	avessero	dormito

W przeciwieństwie do trybu oznajmującego, congiuntivo trapassato ma tylko jedną formę – tworzy się go poprzez zestawienie congiuntivo imperfetto czasowników posiłkowych (**essere** lub **avere**) i imiesłowu biernego (participio passato).

20.3 Użycie

Congiuntivo w zdaniu nadrzędnym
Stosunkowo rzadko używa się congiuntivo w zdaniu nadrzędnym. Jeżeli jest już używany, to w:
- zdaniach wyrażających **prośbę, polecenie, rozkaz** lub **życzenie** (tryb rozkazujący por. 22):

Venga pure!   *Niech pan podejdzie!*
Andiamo!   *Chodźmy!*

● pytaniach wyrażających **wątpienie** (congiuntivo presente lub passato):

Perché non mi ha chiamato?   *Dlaczego do mnie nie zadzwonił?*
Che **sia** (stato) malato?   *Czyżby był chory?*

● wykrzyknieniach, zawierających **życzenia nie dające się spełnić** (congiuntivo imperfetto lub trapassato):

Non ti **avessi** mai **conosciuto**!   *(O,) Niechbym cię nigdy nie poznał!*
                                    (= żałuję, że cię poznałem)
Sapessi almeno la verità!   *Gdybym przynajmniej znał prawdę!*

Congiuntivo w zdaniu podrzędnym
O wiele częściej congiuntivo pojawia się w zdaniu podrzędnym. Czas, w jakim występuje tam czasownik, jest zależny od czasu czasownika w zdaniu nadrzędnym (por. 21.2). Congiuntivo stosowany jest:
● po czasownikach wyrażających czyjeś **zdanie / przypuszczenie**:

pensare	*myśleć*	credere	*uważać / sądzić / wierzyć*
ritenere	*uważać za*	sembrare	*wydawać się*
parere	*wydawać się*	supporre	*przypuszczać*

Penso che **sia stato** possibile.   *Myślę, że było to możliwe / prawdopodobne.*
Mi sembra che **piova**.   *Wydaje mi się, że pada.*

● po czasownikach wyrażających **uczucia** i **nadzieję**:

temere	*obawiać się*	essere contenti	*być zadowolonym / cieszyć się*
avere paura	*bać się*		
sperare	*mieć nadzieję*	essere felici	*być szczęśliwym*
essere sorpresi	*być zaskoczonym*	rallegrarsi	*cieszyć się*

Sono contento che tua madre **stia**   *Cieszę się, że twoja matka czuje się*
meglio.   *lepiej.*

● po czasownikach wyrażających **wątpienie** i **niepewność**:

non essere sicuri	*nie być pewnym*	dubitare	*wątpić*
non essere certi	*nie być pewnym*	non sapere	*nie wiedzieć*

Non ero sicuro che lui **capisse**.   *Nie byłem pewien, czy on zrozumiał.*

71

● po czasownikach wyrażających **wolę** i **życzenie**:

volere	chcieć	esigere	żądać / domagać się
desiderare	życzyć sobie	preferire	woleć

Voglio che tu mi **dica** tutto.   *Chcę, żebyś mi powiedział wszystko.*

● po **wyrażeniach bezosobowych**, które oznaczają **konieczność, możliwość** lub jej brak, albo też **prawdopodobieństwo**:

occorre / bisogna / necessario	*trzeba*
è (im)possibile	*(nie)możliwe, że / żeby*
è (im)probabile	*jest (nie)prawdopodobne, że / żeby*

È possibile che **vengano a** trovarci.   *Możliwe, że przyjadą do nas w odwiedziny.*

● po **spójnikach**:
Niektóre spójniki wymagają congiuntivo (lista patrz 28.2):

Benché io **fossi stanca**, mi sono alzata.   *Mimo że byłam zmęczona, wstałam [z łóżka].*

● w **zdaniach względnych**, które wyrażają **życzenie** lub **żądanie**:

Cerco una ragazza alla pari che **sappia** l'italiano.   *Szukam opiekunki do dzieci, która by mówiła po włosku.*

● w **zdaniu warunkowym** w celu wyrażenia **czynności nierealnej** w teraźniejszości (congiuntivo imperfetto) albo w przeszłości (congiuntivo trapassato). W zdaniu nadrzędnym jest wtedy tryb warunkowy (por. 19.2; 19.4):

Se lo **sapessi**, mi sentirei meglio.   *Gdybym to wiedział, czułbym się lepiej.*

Se **l'avessi saputo**, non sarei venuto.   *Gdybym to (był) wiedział, nie przyszedłbym.*

● jeśli zdanie podrzędne poprzedza zdanie nadrzędne:

Che lui **sia tornato**, è sicuro.   *To, że on wrócił, jest pewne.*
ale:
È sicuro che lui **è tornato**.   *Pewne jest, że wrócił.*

● w **zdaniach porównawczych** po **stopniu wyższym**:

La situazione era meno grave di   *Sytuacja była mniej poważna niż*
quanto **pensassi**.   *myślałem.*

po niektórych **zaimkach nieokreślonych** i **przysłówkach**, które pełnią funkcję
spójników (**chiunque** *kto by nie*, **qualunque** / **qualsiasi** (przymiotnik) *co* / *kto*
by nie, **comunque** *jak by nie*, **ovunque** *gdzie by nie*):

Mi segue ovunque(io) **vada**.   *Chodzi za mną, gdzie bym nie po-*
                                      szedł.

> *i*   Jeżeli zdanie nadrzędne i podrzędne mają ten sam podmiot, zastępuje
> się konstrukcję **zdanie podrzędne** (zaczynające się przeważnie od **che**)
> + **congiuntivo** konstrukcją **di** + **bezokolicznik** (por. 25.2.1: Bezokolicz-
> nik z di):

Penso di partire presto.   *Myślę* / *Sądzę, że wyjadę wkrótce*
                                     (dosł.: Myślę wyjechać wkrótce).

21 Następstwo czasów

Następstwo czasów wyraża stosunek czasowy między zdaniem nadrzędnym a podrzędnym. Istotne jest tutaj to, czy czynność w zdaniu podrzędnym poprzedza czynność w zdaniu nadrzędnym, następuje po niej, czy też odbywa się jednocześnie z nią.

21.1 Następstwo czasów w zdaniu podrzędnym w trybie oznajmującym

zdanie nadrzędne	zdanie podrzędne
presente So *Wiem,*	uprzedniość (wcześniej, wczoraj ...): **passato prossimo** (również: trapassato prossimo, passato remoto) che è tornato ieri. *że (on) wrócił wczoraj.*
	jednoczesność (teraz, dzisiaj ...): **presente** che torna oggi. *że on wraca dzisiaj.*
	następowanie (później, jutro ...): **presente, futuro semplice** che torna / tornerà domani. *że on wraca / wróci jutro.*
imperfetto / passato prossimo / passato remoto Sapevo / ho saputo / seppi *Wiedziałem.* *Dowiedziałem się*	uprzedniość: **trapassato prossimo** che era tornato il giorno prima. *że on wrócił poprzedniego dnia / dzień wcześniej.*
	jednoczesność: **imperfetto** che tornava. *że on wraca.*
	następowanie: **condizionale passato** (lub **imperfetto**) che sarebbe tornato (tornava) il giorno dopo. *że on wróci nazajutrz / następnego dnia.*

74

zdanie nadrzędne	zdanie podrzędne
futuro Gli dirò *Powiem mu,*	uprzedniość: **passato prossimo, futuro anteriore** che ieri sono stata occupata tutto il giorno. *że wczoraj byłam zajęta cały dzień.* chi avrà vinto la partita. *kto wygrał mecz.*
	jednoczesność: **presente, futuro semplice** che vengo / verrò anch'io. *że ja też przychodzę / przyjdę.*
	następowanie: **presente, futuro semplice** che vado / andrò a Milano dopo le vacanze. *że po wakacjach jadę / pojadę do Mediolanu.*

21.2 Następstwo czasów w zdaniu podrzędnym w trybie łączącym

zdanie nadrzędne	zdanie podrzędne
presente Credo *Sądzę,*	uprzedniość: (wcześniej, wczoraj ...): **congiuntivo passato** che sia tornato ieri. *że on wrócił wczoraj.*
	jednoczesność (teraz, dzisiaj ...): **congiuntivo presente** che torni oggi. *że on wraca dzisiaj.*
	następowanie (później, jutro ...): **congiuntivo presente, futuro semplice** che torni / tornerà domani. *że on wraca / wróci jutro.*

75

zdanie nadrzędne	zdanie podrzędne
imperfetto / passato prossimo / passato remoto	uprzedniość: **congiuntivo trapassato** che fosse tornato il giorno prima. *że on wrócił poprzedniego dnia / dzień wcześniej.* jednoczesność: **congiuntivo imperfetto**
Credevo / ho creduto / credetti *Sądziłem,*	che tornasse. *że on wraca.* następowanie: **condizionale passato** (lub **congiuntivo imperfetto**) che sarebbe tornato (tornasse) il giorno dopo. *że on wróci nazajutrz / następnego dnia.*

i   Jeżeli w zdaniu nadrzędnym jest condizionale presente, czasownik w zdaniu podrzędnym oznaczający czynność jednoczesną lub przyszłą występuje przeważnie w congiuntivo imperfetto, a w przypadku czynności uprzedniej – w congiuntivo trapassato.

Vorrei che tu fossi (stato) qui.   *Chciałbym, żebyś tu był.*

22 Tryb rozkazujący

Tryb rozkazujący (imperativo) obejmuje w języku włoskim w zasadzie tylko 2. os. l. poj. i 2. os. l. mn., a jego formy są identyczne z formami trybu oznajmującego czasu teraźniejszego (presente) w tych osobach (**wyjątek**: czasowniki zakończone na **-are** w 2. os. l. poj.). Wszystkie czasowniki, które wykazują nieregularności w trybie oznajmującym czasu teraźniejszego, mają je również w trybie rozkazującym. W celu wyrażania poleceń w formie grzecznościowej w l. poj. (pan / pani) oraz w 1. os. l. mn. język włoski posługuje się formami congiuntivo presente.

	chiamare *wołać / dzwonić*	prendere *brać*	a) dormire *spać*	b) capire *rozumieć*
tu	chiam-**a**	prend-**i**	dorm-**i**	cap-isc-**i**
Lei	chiam-**i**	prend-**a**	dorm-**a**	cap-isc-**a**
noi	chiam-**iamo**	prend-**iamo**	dorm-**iamo**	cap-**iamo**
voi	chiam-**ate**	prend-**ete**	dorm-**ite**	cap-**ite**

Vieni qua!	*Chodź (tu)!*	Entri pure!	*Niech pan wejdzie! / Proszę wejść!*
Andiamo!	*Chodźmy!*	Dormite bene!	*Śpijcie dobrze!*

Formy nieregularne
Niektóre czasowniki mają w 2. os. l. poj. skróconą formę trybu rozkazującego (niekiedy obok formy regularnej, pełnej):

dire *mówić / powiedzieć*	di'	fare *robić:*	fai / fa'
dare *dawać*	dai / da'	stare *stać:*	stai / sta'
andare *iść*	vai / va'		

Nieregularnie tworzą tryb rozkazujący 2. os. l. poj. następujące czasowniki:

avere *mieć*	abbi	essere *być*	sii
sapere *wiedzieć*	sappi		

i | Zaprzeczony tryb rozkazujący w 2. os. l. poj. to w języku włoskim konstrukcja **non + bezokolicznik teraźniejszy**. Natomiast w przypadku wszystkich innych osób dodaje się po prostu **non** przed czasownikiem w trybie rozkazującym:

Non piangere!   *Nie płacz!*
ale:

Non parlate!   *Nie rozmawiajcie!*

Nieakcentowane zaimki osobowe w trybie rozkazującym por. 7.7.

23 Strona bierna

Stronę bierną (passivo) tworzy się za pomocą **essere** lub **venire i imiesłowu biernego** (participio passato), a w czasach złożonych tylko za pomocą **essere**. Podczas gdy **venire** podkreśla raczej **trwanie / przebieg** jakiejś czynności (polskie: *być robionym*), **essere** może oznaczać również jej **skutek** albo odnosić się do **stanu** (polskie: *zostać / być zrobionym*):

Il viaggio **viene**/è organizzato da un'agenzia.	*Ta podróż jest organizowana / została zorganizowana przez biuro podróży.*

W obu przypadkach trzeba uważać na końcówkę imiesłowu, która musi się zgadzać – pod względem liczby i rodzaju – z podmiotem zdania:

La finestra viene aper**ta**.	*Okno jest otwierane.*
Lo spettacolo viene rimanda**to**.	*Przedstawienie jest przesuwane / przesunięte.*

Tak jak w języku polskim, stronę bierną mogą tworzyć tylko czasowniki przechodnie (czyli te, które mają dopełnienie bliższe – w polskim jest to przeważnie dopełnienie biernikowe lub dopełniaczowe). Dopełnienie bliższe zdania w stronie czynnej staje się podmiotem zdania w stronie biernej. Wykonawca czynności lub jej przyczyna (podmiot zdania w stronie czynnej) poprzedzone są wtedy przyimkiem **da** (jeżeli w ogóle są podawane). Strona bierna istnieje we wszystkich czasach i trybach.

La lettera è / viene scritta (dalla segretaria),	*List jest pisany (przez sekretarkę),*
è stata scritta / veniva scritta,	*został napisany / był pisany,*
sarà scritta.	*zostanie napisany.*
Penso che la lettera sia stata scritta in fretta.	*Myślę, że ten list był pisany w pośpiechu.*

Zastępowanie strony biernej konstrukcją z **si** por. 24.

Czasowniki modalne w stronie biernej
Strona bierna czasowników modalnych **potere** (*móc*) i **dovere** (*musieć, powinien*) składa się – tak jak w polskim – z odpowiedniej formy tych czasowników w stronie czynnej i infinito passato (bezokolicznika przeszłego):

La lettera deve essere scritta subito.	*List musi zostać napisany natychmiast.*

W stronie biernej znaczenie „musieć" mają również (obok **dovere**): **andare + imiesłów bierny oraz essere + da + bezokolicznik**:

La lettera va scritta / è da scrivere subito.   *List musi zaraz zostać napisany.*

24 Konstrukcje z *si*

Oprócz tego, że **si** jest zaimkiem zwrotnym 3. osoby (por. 7.4), może ono w języku włoskim pełnić jeszcze dwie inne funkcje – być „si bezosobowym" (**si impersonale**) i „si biernym" (**si passivante**). Istotne jest tutaj przede wszystkim to, czy czasownik, z którym **si** się łączy, jest przechodni czy nieprzechodni.

si impersonale

Jeżeli **si** łączy się z **czasownikiem nieprzechodnim** lub czasownikiem użytym w znaczeniu nieprzechodnim, czasownik ten musi przybrać formę 3. os. l. poj. **Si** w takiej konstrukcji odpowiada polskiemu *się*:

Qui si mangia bene.	*Tu można dobrze zjeść (dosł.: Tu je się dobrze).*
A Bari il sabato sera si va in pizzeria.	*W Bari w sobotę wieczór chodzi się do pizzerii.*

W czasach złożonych używa się zawsze czasownika posiłkowego **essere**. W przypadku czasowników wymagających w passato prossimo czasownika posiłkowego avere, imiesłów bierny również tutaj nie odmienia się. Jeżeli zaś chodzi o czasowniki, które tworzą ten czas z **essere** (por. 15.1), to imiesłów bierny musi przybrać formę rodzaju męskiego liczby mnogiej. Czasownik posiłkowy zachowuje jednak liczbę pojedynczą:

Si è mangiato bene.	*Dobrze się jadło.*
Ieri si è andati al cinema.	*Wczoraj poszliśmy (dosł.: poszło się) do kina.*

i	Przymiotniki użyte po **si + essere** (w funkcji orzecznika) zawsze mają również formę rodzaju męskiego liczby mnogiej, podczas gdy czasownik jest w liczbie pojedynczej:

Quando si è stanchi,...	*Jeśli jest się zmęczonym, ... / Jeżeli człowiek jest zmęczony, ...*

Konstrukcję z „się" i „człowiek" można w języku włoskim wyrazić jeszcze na trzy inne sposoby: za pomocą **uno + czasownik w 3. os. l. poj., czasownika w 2. os. l. p. lub 3. os. l. m.**:

Qui **uno** mangia bene.	*Tutaj można dobrze zjeść (dosł. Tutaj dobrze się je / człowiek dobrze (z)je).*
Qui mangi bene.	*Tutaj dobrze zjesz.*
Dicono...	*Mówią ...*

si passivante

Konstrukcją z **si** można również zastępować stronę bierną – oczywiście w przypadku czasowników przechodnich. Pierwotne dopełnienie bliższe ze zdania w stronie czynnej staje się podmiotem zdania z si, co oznacza, że czasownik musi zostać uzgodniony pod wględem liczby (i rodzaju w czasach złożonych) z tym podmiotem:

Si compr**ano** delle arance.   *Kupuje się pomarańcze.*

Si **sono** fatti molti errori.   *Popełniono wiele błędów. / Wiele błędów zostało popełnionych.*

25 Bezokolicznik

25.1 Formy

Infinito presente (bezokolicznik teraźniejszy) to forma wyjściowa czasowników, zakończona prawie zawsze na **-are**, **-ere** lub **-ire**: and**are** *iść*, corr**ere** *biec*, dorm**ire** *spać*. W przypadku czasowników zwrotnych **si** dołącza się bezpośrednio do bezokolicznika pozbawionego **-e**: lavar**si** *myć się*.

 Samogłoska końcowa może zostać odrzucona również wtedy, gdy po bezokoliczniku następuje dopełnienie, które tworzy z nim całość znaczeniową: np. **aver voglia** *mieć ochotę*.

 Niektóre czasowniki mają nieregularną formę bezokolicznika wskutek ściągnięcia pierwotnej końcówki łacińskiej:

proporre (< *łac.* proponere)	*proponować*
tradurre (< *łac.* traducere)	*tłumaczyć / przekładać*
trarre (< *łac.* trahere)	*ciągnąć*

Infinito passato (bezokolicznik przeszły – nie mający odpowiednika w języku polskim) składa się z **essere** lub **avere** i **imiesłowu biernego** (participio passato): **avere chiamato, essere rimasto / -a / -i / -e**. Końcowe **-e** można oderwać również tutaj: **aver fatto**.
Pozycja zaimków osobowych por. 7.7

25.2 Użycie

1. Infinito presente (bezokolicznik teraźniejszy)
Infinito presente używa się albo bez żadnego przyimka, albo jest on poprzedzony odpowiednimi przyimkami.

Bezokolicznik bez przyimka
„Czyste" infinito presente używane jest **samodzielnie**:
- jako **podmiot** lub **dopełnienie**:

Dire è più facile che fare.   *Łatwiej powiedzieć niż zrobić.*

- **w instrukcjach** (np. przepisach kulinarnych) i **z non jako zaprzeczony tryb rozkazujący** (por. 22):

Tagliare le cipolle,...   *Pokroić cebule, ...*
Non glielo dire!   *Nie mów mu / jej tego!*

● w wykrzyknieniach z **che**:

Che bello sentirti!   *Cudownie usłyszeć cię [znowu]!*
                                             (dosł.: Jak pięknie cię słyszeć!)

● **w zdaniach skróconych** (eliptycznych):

Non so che fare.   *Nie wiem, co robić.*

Bezokolicznik bez przyimka może być jednak również **zależny** od określonych czasowników. Pojawia się on:

● po czasownikach i wyrażeniach **bezosobowych**:

basta	*wystarczy*	mi piace	*podoba mi się, lubię*
conviene	*należy / trzeba*	è utile	*jest przydatne*
bisogna	*trzeba*	è possibile	*(jest) możliwe (, że)*
occorre	*potrzeba*	è difficile	*trudne / trudno jest*

Bisogna vedere per credere.   *Trzeba zobaczyć, żeby uwierzyć.*
È difficile imparare l'italiano?   *Trudno jest nauczyć się włoskiego?*

● po czasownikach **modalnych** i wyrazach, używanych w funkcji czasowników modalnych:

potere *móc*	dovere *musieć*	volere *chcieć*
sapere *umieć*	lasciare *pozwolić*	fare *kazać*

Devo andare dal medico.   *Muszę iść do lekarza.*
Sai sciare?   *Umiesz jeździć na nartach?*
Fallo venire!   *Każ mu wejść!*

po czasownikach wyrażających czynności **zmysłów**:

sentire	*słyszeć*	vedere	*widzieć*
sapere	*słuchać*	guardare	*patrzeć*

Sento bussare qualcuno.   *Słyszę, jak / że ktoś puka.*

● po **desiderare** *życzyć sobie*, **preferire** *woleć*:

Preferirei andare in America   *W tym roku wolałabym pojechać do*
quest'anno.   *Ameryki.*

Bezokolicznik z *di*
Przed bezokolicznikiem stawia się **di**
● **po** następujących **czasownikach**:

cercare	*próbować / starać się*	promettere	*przyrzekać / obiecywać*
chiedere	*prosić / pytać*	ricordarsi	*przypominać sobie*
decidere	*decydować*	ringraziare	*dziękować*
dimenticare	*zapominać*	rischiare	*ryzykować*
finire	*kończyć*	smettere	*przestawać*
pensare	*myśleć*	sperare	*mieć nadzieję*
pregare	*prosić*	temere	*obawiać się*
preoccuparsi	*martwić się*	tentare	*próbować*

Speravo di trovarti qui.   *Miałem nadzieję, że cię tu znajdę (dosł.: ...cię tu znaleźć).*

Quando hai smesso di fumare?   *Kiedy przestałeś palić?*

● **po avere + rzeczownik**:

avere bisogno	*potrzebować*	avere intenzione	*mieć zamiar / zamierzać*
avere paura	*bać się*	avere tempo	*mieć czas*
avere voglia	*mieć ochotę*	avere il coraggio	*mieć odwagę / czelność*

Hai voglia di fare una passeggiata?   *Masz ochotę iść na spacer?*

● **po essere + przymiotnik**:

essere certo	*być pewnym*	essere capace	*być zdolnym / w stanie*
essere sicuro	*być pewnym*		
essere felice	*być szczęśliwym / cieszyć się*	essere contento	*być zadowolonym / cieszyć się*
essere stanco	*być zmęczonym*	essere orgoglioso	*być dumnym*

Sono contenta di vederti.   *Cieszę się, że cię widzę.*

● **gdy zastępuje** on **zdanie podrzędne z che + congiuntivo** (por. 20.3)

Credo di **farcela**.   *Sądzę, że dam sobie radę.*

Bezokolicznik z *a*

W połączeniu z przyimkiem **a** bezokolicznik wyraża zazwyczaj **cel** jakiejś **czynności**.
Używa się go:
● **po czasownikach wyrażających ruch**:

| andare | *iść* | venire | *przyjść / przyjechać* | correre | *biec* |

| Vado a fare la spesa. | *Idę zrobić zakupy. / Idę na zakupy.* |

● **po czasownikach**:

abituarsi	*przyzwyczajać się*	imparare	*uczyć się*
aiutare	*pomagać*	insegnare	*uczyć / nauczać*
cominciare	*zaczynać*	rimanere	*(po)zostawać*
continuare	*kontynuować / robić coś dalej*	rinunciare	*zrzekać się / rezygnować*
costringere	*zmuszać*	riuscire	*zdołać / udać się*

| Comincio a lavorare alle 8. | *Zaczynam pracę (dosł.: pracować) o ósmej.* |

● po niektórych **przymiotnikach z essere**:

| essere pronto | *być gotowym* | essere adatto | *nadawać się* |
| essere disposto | *być skłonnym* | | |

| Alessandro è disposto a farlo. | *Alessandro jest skłonny to zrobić.* |

● **jako konstrukcji zastępującej zdanie podrzędne z se** (*jeśli*) albo zdanie względne, jeśli podmiot jest ten sam:

A pensarci bene (= se ci penso bene) non ho voglia di andare al cinema.

Gdy się nad tym dobrze zastanowię, [to dochodzę do wniosku, że] nie mam ochoty iść do kina.

È l'unico a saperlo.

On jest jedynym, który to wie.

Bezokolicznik z *da*
Bezokolicznik z **da** wyraża przeważnie **cel** albo **skutek**. Stawia się go:
- **po niektórych rzeczownikach:**

la macchina da scrivere   *maszyna do pisania*

- **po przyimkach qualcosa, niente, molto, poco, tanto, che cosa:**

Vorrei qualcosa da mangiare.   *Poproszę / chciałbym coś do je-
                                                       dzenia.*

- **po essere:**

Era da sospettare.   *To było do przewidzenia. / Można
                                                       się było tego domyślić.*

- **po avere** w znaczeniu „musieć / mieć coś zrobić":

Ho da fare.   *Mam dużo roboty.*

- **jako konstrukcję zastępującą zdanie wynikowe po cosi / tanto**, jeżeli podmiot jest ten sam w obu zdaniach:

Era così stanco da addormentarsi   *Był tak zmęczony, że od razu zas-
subito.   nął.*

2. Infinito passato (bezokolicznik przeszły)
Infinito passato zastępuje z reguły zdanie podrzędne mające ten sam podmiot, co zdanie nadrzędne, jeżeli czynność w zdaniu podrzędnym odbyła się przed czynnością w zdaniu nadrzędnym. Tak jak infinito presente (bezokolicznik teraźniejszy), dołącza się go odpowiednio do stojącego przed nim czasownika lub wyrażenia czasownikowego:

Non penso di avere già incontrato   *Nie sądzę, żebym kiedykolwiek
Matteo.   spotkał Matteo.*
Nessuno sembrava averlo capito.   *Wydawało się, że nikt tego nie zro-
                                                       zumiał. (dosł.: Nikt nie wydawał się
                                                       tego zrozumieć).*

Credo di aver già detto troppo.   *Sądzę, że powiedziałem już za du-
                                                       żo.*

26 Imiesłów czynny przysłówkowy

Imiesłów czynny przysłówkowy (gerundio) występuje w dwóch formach: gerundio presente / semplice (imiesłów przysłówkowy czasu teraźniejszego) i gerundio passato / composto (imiesłów przysłówkowy czasu przeszłego). Obie formy są nieodmienne.

26.1 Formy *gerundio presente*

guardare *patrzyć* guard-**ando**	leggere *czytać* legg-**endo**	sentire *słyszeć* sent-**endo**

Gerundio presente czasowników zakończonych na **-are** tworzy się przez dodanie do tematu fleksyjnego końcówki **-ando**, a w przypadku czasowników zakończonych na **-ere** i **-ire** – końcówki **-endo**.
Pozycja nieakcentowanych zaimków osobowych por. 7.7.

26.2 Użycie *gerundio presente*

Gerundio presente oznacza **czynność, która odbywa się jednocześnie z czynnością w zdaniu towarzyszącym**. Jeżeli oba podmioty są identyczne, gerundio może zastępować zdanie podrzędne, które

● wyraża **zależność czasową** (= gdy):

Apprendendo quella notizia, sono rimasta molto sorpresa.   *Gdy dostałam tę wiadomość, byłam bardzo zaskoczona.*

● podaje **przyczynę** (= ponieważ):

Lavorando molto, Mario ha poco tempo libero.   *Pracując dużo, Marco ma mało czasu wolnego.*

● podaje **sposób** (= w ten sposób, że):

Paola si rilassa ascoltando musica.   *Paola się odpręża, słuchając muzyki.*

● podaje **warunek** (= gdyby):

Lavorando meno, non saresti sempre cosi stanco.   *Pracując mniej, nie byłbyś zawsze taki zmęczony.*

● w połączeniu z **pure** wyraża **przyzwolenie** (= mimo że):

Pur essendo malato, va a lavorare.   *Będąc chory, idzie do pracy.*

> **i**
>
> **Stare + gerundio** wyraża **czynność, która odbywa się w momencie mówienia:**

| Che stai facendo? | *Co robisz (teraz)?* |
| Sto leggendo il giornale. | *Czytam gazetę.* |

26.3 Formy *gerundio passato*

avendo letto	essendo rimasto / -a / -i / -e

Gerundio passato składa się z gerundio presente czasowników posiłkowych (**avere** lub **essere**) i **imiesłowu biernego** (participio passato) danego czasownika. Gerundio łączące się z **essendo** musi być uzgodnione z podmiotem zdania pod względem rodzaju i liczby.

26.4 Użycie *gerundio passato*

Gerundio passato wyraża **czynność uprzednią**. Tak jak gerundio presente, **zastępuje zdanie podrzędne** (przeważnie przyczynowe lub czasowe):

| Essendo arrivata in ritardo, si è persa l'inizio del film. | *Ponieważ się spóźniła, przegapiła początek filmu. / Spóźniwszy się na film, przegapiła jego początek.* |

27 Imiesłów przymiotnikowy

27.1 Participio presente (imiesłów czynny) – formy

brillare	ridere	seguire
brill-**ante**	rid-**ente**	segu-**ente**
błyszczący, -ca, -ce	*śmiejący, -ca, -ce się*	*następujący, -ca, -ce*

Końcówka bezokolicznika czasowników zakończonych na -**are** zostaje zastąpiona końcówką -**ante**, a czasowników na -**ere** i -**ire** – końcówką -**ente**. Ta sama forma odnosi się do obu rodzajów (męskiego i żeńskiego), a w liczbie mnogiej (również obu rodzajów) -**e** końcowe przechodzi w -**i** (czyli -**anti** i -**enti**).

27.2 Użycie *participio presente*

Imiesłowu czynnego (participio presente) używa się stosunkowo rzadko, przeważnie
● **w funkcji przymiotnika lub rzeczownika**, np.:

corrente	*bieżący, powszechny*	pesante	*ciężki*
la corrente	*prąd*	l'insegnante	*nauczyciel / ka*

● **w zastępstwie zdania względnego**:

Le domande riguardanti (= che riguardano) questo problema... *Pytania dotyczące tego problemu...*

27.3 Participio passato (imiesłów bierny) – formy

Odmiana regularna

chiamare	vendere	partire
chiam-**ato**	vend-**uto**	part-**ito**
(za)wołany	*sprzeda(wa)ny*	*który odjechał, dosł. odjechany*

Imiesłów bierny (participio passato) tworzy się przez zamianę końcówki bezokolicznika na końcówkę imiesłowu biernego:

-are	→ **-ato**
-ere	→ **-uto**
-ire	→ **-ito**

 Czasownik posiłkowy **essere** ma ten sam imiesłów bierny co **stare** –
stato, **avere** zaś tworzy go regularnie – **avuto**.

Formy nieregularne
Wiele czasowników (przede wszystkim zakończonych na -**are**) tworzy imiesłów
bierny nieregularnie. Najczęstszymi końcówkami są -**so**, -**to** i -**sto**:

bezokolicznik czasu teraźniejszego		imiesłów bierny	
prendere	*brać / wziąć*	preso	*brany / wzięty*
chiedere	*(za)pytać*	chiesto	*(za)pytany*
aprire	*otwierać / otworzyć*	aperto	*otwierany / otwarty*

27.4 Użycie *participio passato*

Imiesłów bierny znajduje najczęściej zastosowanie jako **część składowa**
(obok czasownika posiłkowego) **czasów złożonych** oraz **strony biernej** (por.
23). O ile w tej ostatniej funkcji występuje on również w języku polskim, o tyle
pierwsza jego funkcja nie pojawia się w naszym języku:

Ho scritto una lettera.	*Napisałem list.*
Sono andata a Monaco.	*Pojechałam do Monako.*

Imiesłów bierny może również pełnić funkcję **przymiotnika**:

l'anno scorso	*zeszły rok / w zeszłym roku*

W języku pisanym imiesłów bierny (użyty bez czasownika posiłkowego) **może zastępować** albo **zdanie względne**:

La notizia ricevuta (= che ho ricevuto) ieri, mi ha fatto paura.	*Otrzymana wczoraj wiadomość na-pędziła mi stracha.*

albo **zdanie podrzędne czasowe** (zaczynające się od **appena** *jak tylko*, **dopo
che** *po tym jak*, **quando** *gdy*). Imiesłów czasownika przechodniego musi być

zgodny pod względem liczby i rodzaju z dopełnieniem tego czasownika, a imiesłów czasownika nieprzechodniego – z podmiotem zdania.

Ricevuta la notizia, mi ha chiamato subito.	*Jak tylko otrzymał wiadomość, zaraz do mnie zadzwonił.*
Tornati a casa, abbiamo mangiato qualcosa.	*Gdy wróciliśmy do domu, / Po powrocie do domu zjedliśmy coś.*

28 Spójniki

28.1 Spójniki łączące zdania współrzędne

Następujące spójniki służą do łączenia zdań współrzędnych:

e(d)	i / a	però	jednak(że)
o/oppure	albo / lub	tuttavia	jednak / mimo to
sia...sia/che	zarówno ..., jak i ...	anzi	wręcz przeciwnie /
invece	a / zaś / natomiast		nawet
o...o	albo ..., albo ...	quindi	(a) więc
né...né	ani ..., ani ...	dunque/così	(a) więc / zatem /
ma	ale / lecz		tak że
		perciò	dlatego

io e te / io o lei
Sono molto stanca, ma vorrei uscire lo stesso.

Piove, perciò non esco.
Non mi disturbi, anzi, mi fa piacere vederti.
A me piace stare al mare, Paolo invece preferisce la montagna.

ja i ty / ja lub ona
Jestem bardzo zmęczona, ale mimo wszystko chciałabym się gdzieś wybrać.
Pada, dlatego nie wychodzę.
Nie przeszkadzasz mi, wręcz przeciwnie – cieszę się, że cię widzę.
Ja lubię być nad morzem, Paolo zaś woli góry.

28.2 Spójniki wprowadzające zdanie podrzędne

Spójniki te wyrażają zależność logiczną między czynnością w zdaniu nadrzędnym a tą, o której mówi zdanie podrzędne. Spójniki, które wymagają trybu łączącego, są zaznaczone kursywą. Stosowanie czasów w zdaniu nadrzędnym i podrzędnym por. 21.
● Zależność **czasową** wyrażają następujące spójniki:

quando	gdy / kiedy / jak	**mentre**	(podczas) gdy
da quando	odkąd	**prima che**	zanim
dopo che	po tym jak / gdy	**(non) appena**	jak tylko (także + tryb oznajm.)

Ti chiamo, (non) appena io sia / sono tornato.
Mentre mangiavo, è suonato il telefono.

Zadzwonię do ciebie, jak tylko wrócę.
Gdy jadłem, zadzwonił telefon.

● **Przyczynę / powód** podają:

perché	bo / ponieważ	siccome, poi- ché, visto che,dato che	ponieważ / jako że

Non ti ho chiamato, perché avevo la febbre.
Siccome avevo la febbre,...

*Nie zadzwoniłem do ciebie, bo mia-
łem gorączkę.*
Ponieważ miałem gorączkę, ...

Zdania zaczynające się od **siccome, dato che, visto che** lub **poiché** zawsze poprzedzają zdanie nadrzędne.

● **Cel** wyrażają:

affinché, perché	*żeby*

Ripeto, perché lo capiscano tutti.

*Powtarzam, żeby wszyscy zrozu-
mieli.*

● **Warunek** wyrażają:

se (+ indicativo / congiuntivo) *qualora* *nel caso che* *a condizione che / purché*	*jeśli / jeżeli* *jeśli / jeżeli* *w przypadku / razie gdy* *pod warunkiem, że*

Ti aiuterò, purché tu mi dica la verità.

*Pomogę ci pod warunkiem, że mi
powiesz prawdę.*

Po **se** następuje tryb oznajmujący, jeżeli czynność jest realna:

Se ho tempo, vengo volentieri.

*Jeżeli będę miał czas, chętnie
przyjdę.*

Za pomocą trybu łączącego wyraża się natomiast czynności nierealne w teraźniejszości (congiuntivo imperfetto) i przeszłości (congiuntivo trapassato):

Se io avessi tempo, verrei volentieri.
Se mi avesse chiamato prima sarei
venuta anch'io.

*Gdybym miał czas, chętnie bym
przyszedł.*
*Gdyby wcześniej do mnie zadzwo-
nił, ja też bym przyszła.*

● **Przyzwolenie** wyraża się za pomocą następujących spójników:

benché / sebbene / nonostante anche se tranne che/a meno che	chociaż / choć / mimo że nawet jeśli chyba że

Benché tu stia meglio,...
Esco, anche se piove.

Mimo że czujesz się lepiej, ...
Wyjdę, nawet jeśli będzie padało.

i   **Anche se** dotyczą te same zasady, co **se** (patrz wyżej).

● **Skutek** podają:

così / tanto...che	tak ..., że ...	cosicché	tak że

La nebbia era così fitta, che non si
vedeva nulla.

*Mgła była tak gęsta, że nic nie było
widać.*

29 Przeczenie

29.1 Przeczenie proste

Przeczenie w języku włoskim wyraża się przeważnie za pomocą **non** *nie*. Stoi ono przed orzeczeniem (czasownikiem) lub przed nieakcentowanym zaimkiem dopełnienia:

Marco non sta bene.	*Marco nie czuje się dobrze.*
Non mi piace.	*To mi się nie podoba.*
Non ho voglia di uscire.	*Nie mam ochoty wychodzić.*

> **i** Słowo *żaden* określające podmiot oddaje się za pomocą **zaimka nie-określonego**:

Nessun italiano mangerebbe questa schifezza.	*Żaden Włoch nie jadłby takiego paskudztwa.*

Podczas gdy **non** służy do zaprzeczania czasownika bądź innego elementu zdania, **no** jest odpowiedzią na pytanie. **No** pojawia się również w zdaniach eliptycznych (tzn. takich, w których opuszcza się część zdania):

Hai fame? No.	*Jesteś głodny? Nie.*
Perché no?	*Dlaczego nie?*
Credo di no.	*Sądzę, że nie.*

29.2 Przeczenie złożone

Niektóre przysłówki oraz zaimki **niente** i **nessuno** tworzą z **non** przeczenie dwu- lub trzyczęściowe:

non + przysłówek, non + spójnik

non ... mai	*nigdy*	non ... più	*już nie*
non ... mica	*jednak nie*	non ... nemmeno	*nawet nie*
non ... affatto	*wcale nie*	non ... né .. né	*ani ..., ani ...*

Non ha mai fumato.	*Ona nigdy nie paliła.*
Non ho né mangiato né bevuto.	*Ani nie jadłem, ani nie piłem.*

non + zaimek

non ... nessuno	*nikt*	non ... niente	*nic*

| Non è venuto nessuno. | *Nikt nie przyszedł. / Nie przyszedł nikt.* |

non + przysłówek + zaimek

non ... mai più	*już nigdy*
non ... ancora nessuno	*jeszcze nikt*
non ... mai niente	*nigdy nic*

| Non ci capisco più niente. | *Już nic nie rozumiem.* |

 Non stoi zawsze przed orzeczenieniem (czasownikiem), a druga część przeczenia – zaraz za nim albo po czasowniku posiłkowym, oprócz **nessuno i niente**, które stoją po całym orzeczeniu. Jeżeli **mai, mica nemmeno, nessuno, niente** są szczególnie akcentowane, mogą stać również przed orzeczeniem – **non** się wtedy odrzuca:

| Nemmeno lei è venuta. | *Nawet ona nie przyszła.* |

 Jeżeli **mai** pojawia się bez **non**, może mieć również znaczenie pozytywne:

| Sei mai stato in Italia? | *Byłeś kiedykolwiek we Włoszech?* |

30 Przyimki

Wykaz najważniejszych przyimków włoskich (formy ściągnięte niektórych przyimków z rodzajnikiem określonym por. 2.3)

a 1. (*przestrz.*) *do,* *w* 2. (*czas.*) *o, do* 3. *na, do*	1. Vado a Roma. Vive a Roma. 2. Partiremo alle due. A domani! due volte al giorno 3. a piedi Scrive alla sua amica.	1. *Jadę do Rzymu.* *Ona mieszka w Rzymie.* 2. *Odjeżdżamy o drugiej.* *Do jutra!* *dwa razy dziennie* 3. *na piechotę / pieszo* *On pisze do swojej przyjaciółki.*
a causa di *z powodu*	a causa dello sciopero	*z powodu strajku*
accanto a *obok, koło*	accanto all'edicola	*obok kiosku*
a destra di *na prawo od*	a destra della stazione	*na prawo od dworca /* *po prawej stronie dworca*
a partire da *od*	a partire da ottobre	*od października*
a sinistra di *na lewo od*	a sinistra della stazione	*na lewo od dworca /* *po lewej stronie dworca*
attraverso *przez*	attraverso il giardino	*przez ogród*
con 1. *z / N.* 2. *w*	1. andare con la macchina di Pia (*ale*: in macchina) 2. con questo buio	1. *jechać samochodem Pii* *(ale: jechać samochodem)* 2. *w taką ciemną noc*
contro 1. *o* 2. *przeciw /* *wbrew*	contro il muro contro l'opinione di tutti	1. *o mur* 2. *wbrew zdaniu wszystkich*
da 1. *z, do, u* 2. (*czas.*) *od* 3. *do* 4. (*passivo*) *przez*	1. Torno da Parigi. Vai da Luigi? 2. da giovedì 3. C'è qualcosa da bere? 4. La chiesa è stata costruita da...	1. *Wracam z Paryża.* *Idziesz do Luigiego?* 2. *od czwartku* 3. *Jest coś do picia?* 4. *Kościół został zbudowany przez ...*
davanti a *przed*	davanti alla casa	*przed domem*

dentro (a) w	dentro al / il cassetto	*w szufladzie*
di 1. z 2. (czas.) *w / N.* 3. *D.* 4. (*materiał*) *z*	1. Franco è di Napoli. 2. d'estate di sera 3. la bicicletta di Linda 4. la camicia di cotone	1. *Franco jest z Neapolu.* 2. *w lecie / latem, wieczorem* 3. *rower Lindy* 4. *koszula z bawełny*
dietro (a) za (*przestrz.*)	dietro (al)la casa	*za domem*
di fronte a naprzeciw(ko)	di fronte all'albergo	*naprzeciw(ko) hotelu*
dopo po (*czas.*)	dopo la scuola dopo il semaforo	*po szkole* *po światłach*
durante podczas	durante la seconda guerra mondiale	*podczas II wojny światowej*
entro w ciągu	entro due giorni	*w ciągu dwóch dni*
fa przed (*czas.*) / *temu*	qualche giorno fa (po rzeczowniku!)	*przed kilkoma dniami / kilka dni temu*
fino a do	fino a giovedì fino a Monaco	*do czwartku* *do Monako*
fra / tra 1. między / wśród 2. (*czas.*) za	1. tra amici 2. fra due settimane	1. *między przyjaciółmi / wśród przyjaciół* 2. *za dwa tygodnie*
fuori di poza	fuori del centro	*poza centrum*
in 1. w, do 2. (*czas.*) w 3. *N.*	1. Vivo in Italia. Vado in Italia. 2. in agosto 3. andare in treno	1. *Oni mieszkają we Włoszech. Jadę do Włoch.* 2. *w sierpniu* 3. *jechać pociągiem*
in fondo a w głębi / na końcu	in fondo al corridoio	*w głębi / na końcu korytarza*
in mezzo a na środku	in mezzo alla strada	*na środku drogi*
insieme a wraz z / razem z	insieme a noi	*razem z nami*

intorno a *wokół / dokoła*	intorno alla casa	*wokół domu*
invece di *zamiast*	invece di Franco	*zamiast Franco*
lontano da *daleko od*	lontano da Roma	*daleko od Rzymu*
oltre 1. *po drugiej stronie* 2. *(czas.) ponad* *oltre a* *oprócz / poza*	1. oltre il confine 2. oltre un'ora Oltre a lui c'erano tanti altri amici.	1. *po drugiej stronie granicy* 2. *ponad godzinę* *Oprócz niego było wielu innych przyjaciół.*
per 1. *(przestrz.) przez, do* 2. *(czas.) na, przez* 3. *dla*	1. per il centro partire per Roma 2. per una settimana 3. per me	1. *przez centrum,* *wyjeżdżać do Rzymu* 2. *na / przez tydzień* 3. *dla mnie*
prima di *przed (czas.)*	prima della partenza	*przed odjazdem*
senza *bez*	senza alcun dubbio	*bez cienia (dosł.: jakiejkolwiek) wątpliwości*
sopra *nad*	sopra il sofà	*nad kanapą*
sotto *pod*	sotto il sofà	*pod kanapą*
su 1. *na (przestrz.)* 2. *(czas.) około* 3. *o*	1. sul tavolo 2. sui trent'anni 3. discutere su qualcosa	1. *na stole* 2. *około 30 lat* 3. *dyskutować o czymś*
tranne *oprócz / poza*	Tranne lui, non è venuto nessuno	*Oprócz niego / Poza nim nie przyszedł nikt.*
verso *ku / w stronę, koło*	verso Bologna verso le sette	*w stronę Bolonii* *koło siódmej*
vicino a *blisko*	vicino a Francoforte	*blisko Frankfurtu*

ĆWICZENIA

1. Rzeczownik

1. Które z podanych rzeczowników są rodzaju męskiego, a które żeńskiego?

bambino ✔ casa ✔ cane bugia tigre libro albergo persona
colore tema strumento chiave ospedale strada esercizio
barca fiume ciliegia regione tavola

rodzaj męski	rodzaj żeński
bambino	*casa*

2. Jak brzmi liczba mnoga poniższych rzeczowników rodzaju męskiego?

liczba pojedyncza	liczba mnoga	liczba pojedyncza	liczba mnoga
ragazzo	*ragazzi*	catalogo	
pesco		medico	
meccanico		errore	
fiore		biglietto	
banco		amico	
viaggio		albergo	

3. Utwórz liczbę pojedynczą od podanych rzeczowników rodzaju żeńskiego.

liczba pojedyncza		liczba mnoga
arancia	←	arance
....	←	zie
....	←	farmacie
....	←	spiagge
....	←	case
....	←	chiese
....	←	province
....	←	camicie
....	←	svizzere
....	←	bambine
....	←	colleghe

4. Poniższe rzeczowniki kończą się na -*a* i mimo to są rodzaju męskiego! Wstaw je we właściwe zdania.

> problema   diploma   poeta   tennista   tema ✔   teorema   collega
> astronauta

1 Luca deve consegnare ogni settimana due ..*temi*.................. all'insegnante.

2 L'Italia ha sempre molti .... politici.

3 Alla fine del corso si può sostenere l'esame per prendere il ....

4 I .... di matematica sono molto complicati.

5 Adriano Panatta è stato un grande .... italiano.

6 Ieri ho conosciuto tutti i nuovi .... dell'ufficio.

7 Armstrong è stato il primo .... a mettere piede sulla luna.

8 Il Romanticismo ci ha regalato dei grandi ....

5. Jak brzmią męskie lub żeńskie formy od podanych rzeczowników?

rodzaj męski	rodzaj żeński	rodzaj męski	rodzaj żeński
collega	....	....	nipote
....	belga	....	insegnante
negoziante	....	pianista	....

6. Poniżej podane są wyrazy w odbiciu lustrzanym. Odczytaj je i utwórz odpowiednie formy rodzaju żeńskiego.

	rodzaj męski	rodzaj żeński
1 erottircs	*scrittore*	....
2 erottod	....	....
3 erosseforp	....	....
4 acud	....	....
5 erotta	....	....
6 etneduts	....	....
7 ateforp	....	....

A teraz wpisz te formy żeńskie do krzyżówki. Niebieskie pola utworzą nazwę regionu Włoch.

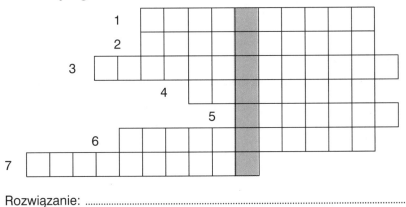

Rozwiązanie: ....

7. Podane rzeczowniki posiadają zarówno formę rodzaju męskiego,
jak i rodzaju żeńskiego. Ich znaczenia są jednak różne. Wstaw
w zdania właściwe rzeczowniki razem z odpowiednim rodzajnikiem.

1 il pianto – la pianta

a Il bambino dei vicini deve stare male, ho sentito ..*il pianto*... tutta la notte.

b Marco ama molto .*le piante*.., ha il pollice verde.

2 il palmo – la palma

a C'è una nebbia fittissima*, non si vede ad .... dal naso.

b Le spiagge dei Caraibi sono piene di ....

3 il bilancio – la bilancia

a Ho comprato .... digitale, così potrò pesarmi più esattamente.

b .... di quella ditta è da molti anni in passivo.

4 il baleno – la balena

a .... è il più grande dei mammiferi.

b Ieri mio figlio ha terminato i compiti in ....

5 il posto – la posta

a Se Antonio continuerà a fingersi malato prima o poi perderà

.... di lavoro.

b Da una settimana non riceviamo ....; ci deve essere lo
sciopero dei postini.

6 il marco – la marca

a In Italia molte persone acquistano solo articoli di note ....
di stilisti.

b Molto presto .... e le altre valute europee saranno sosti-
tuite dall'euro.

* **fitto** gęsty

2. Rodzajnik określony i nieokreślony

1. *La, l'* czy *le*? Jak brzmi właściwy rodzajnik? Przyporządkuj poniższe rzeczowniki rodzaju żeńskiego właściwym rodzajnikom.

casa ✔ colleghe amica tazze acqua olandese fotografie gente radio aranciata città tigri libertà amicizie mano

la _casa_ ....

l' ....

le ....

2. *Il, lo / l'* czy *gli*? Do podanych rzeczowników rodzaju męskiego dopisz właściwy rodzajnik określony.

_il_......... nome   .... castelli   .... coltelli   .... studente

.... re   .... cantanti   .... cesto   .... libro

.... tema   .... laghi   .... anni   .... giornalista

.... amico   .... uovo   .... sbaglio   .... xilofono

.... sconto   .... inglesi   .... giornali   .... olandesi

3. Przyporządkuj podane w ramce rzeczowniki w liczbie mnogiej do odpowiednich rodzajników określonych.

camicie ✔ uomini ✔ barche quaderni ✔ stranieri amiche alberghi cassette lampade errori fiori yogurt bar cani pesci

le	i	gli
camicie	_quaderni_	_uomini_

4. Una / un', un czy uno?
Który z rodzajników nieokreślonych pasuje?

.*una*.... grammatica   .... agenzia   .... moneta   ....spesa

.... dizionario   .... svizzero   .... scherzo .... gnomo

.... ora   .... vestito   .... lettera   .... gonna

5. Z rodzajnikiem czy bez? Wstaw – tam gdzie jest to konieczne – właściwą formę rodzajnika określonego.

1 Il giudice uscì con .... uomini della scorta.

2 ● Quando vai in .... piscina? ▲ Ci vado ogni .... lunedì.

3 È lei .... signora Lippi?

4 ● Buongiorno, ... signor Rocchi, come sta? ▲ Bene, grazie.

5 In .... primavera .... nostro giardino è pieno di fiori variopinti.

6. „Wspaniały przepis". Wstaw odpowiednie rodzajniki.

Una.... ① ricetta speciale! Ci vogliono 5 uova e per ogni uovo .... ②

cucchiaio di zucchero, ... ③ barattolo di mascarpone, ... ④

grande pacco di biscotti savoiardi, ... ⑤ po' di cacao amaro, del

caffè e .... ⑥ goccio di Amaretto.

Si prende .... ⑦ terrina, si battono .... ⑧ tuorli con .... ⑨

zucchero, poi si aggiungono .... ⑩ mascarpone e .... ⑪ albumi,

montati a neve separatamente. Amalgamare .... ⑫ tutto molto lenta-

mente con .... ⑬ cucchiaio di legno e versare .... ⑭ crema

ottenuta su .... ⑮ strato di biscotti, inzuppati precedentemente con

.... ⑯ caffè e .... ⑰ amaretto. Formare due o tre strati sempre

alternando .... ⑱ biscotti e .... ⑲ crema e mettere in frigo per

.... ⑳ paio di ore. Servire freddo dopo aver spolverato .... ㉑

dolce con .... ㉒ cacao. Che cosa è? .... ㉓.

3. Rodzajnik cząstkowy

1. Uzupełnij zdania podanymi rodzajnikami cząstkowymi.

> dei ✔ delle dei delle dei degli delle dei degli dei

1 Ci sono _dei_ libri sulla scrivania.
2 Hanno preso .... decisioni molto affrettate.
3 Nel frigorifero ci sono ancora .... pomodori.
4 Quel negozio ha .... prezzi molto bassi.
5 Maria ha comprato .... quadri bellissimi.
6 In quella banca lavorano .... impiegati gentili.
7 Clara e Anna hanno comprato .... vestiti costosi.
8 Roberto legge sempre .... riviste interessanti.
9 Ogni giorno faccio .... belle passeggiate.
10 All'università ho conosciuto .... studenti simpatici.

2. Napisz poniższe zdania w liczbie mnogiej.
Zwróć uwagę na rodzajnik cząstkowy.

1 Ho bevuto un'aranciata.   _Abbiamo bevuto delle aranciate._
2 Ho mangiato una pizza.   ....
3 Hai fumato una sigaretta!   ....
4 Ha comprato un libro.   ....
5 Ho incontrato uno studente. ....
6 Preferisco un caffè.   ....
7 Hai fatto uno sbaglio.   ....
8 Mi presti una matita?   ....
9 Ha visto un film al cinema. ....
10 Le ho fatto un regalo.   ....

3. „Spotkanie". Dwie przyjaciółki spotykają się na ulicy. Uzupełnij dialog.

● Ciao, Lucia! Dove vai così in fretta?

▲ Sto andando a fare la spesa. Questa sera vengono _degli_..... ① amici e voglio cucinare qualcosa di speciale.

● Mmh, che cosa prepari di buono?

▲ Ho pensato di cominciare con .... ② antipasti misti: .... ③ affettato e .... ④ carciofini*. Ma vorrei fare anche .... ⑤ tartine al caviale.

● E come primo?

▲ Come primo farò .... ⑥ pennette al salmone, per secondo .... ⑦ vitello in salsa tonnata con .... ⑧ insalata mista, mentre per dessert preparerò .... ⑨ macedonia con gelato, e da bere .... ⑩ ottimo vino bianco.

4. Niedługo Sara po raz pierwszy pójdzie do szkoły. Pomóż jej mamie! Czego Sara jeszcze potrzebuje? Wstaw rodzajnik cząstkowy albo określony lub nieokreślony.

Sara ha bisogno di _un_.......... ① quaderno a righe, e di .... ② quaderno a quadretti, ma anche di .... ③ astuccio con .... ④ matite colorate e di .... ⑤ gomma morbida per cancellare. Dovrò camprarle anche .... ⑥ pennarelli, ma forse sarebbero meglio .... ⑦ pastelli a cera. Spero proprio di non dimenticare nulla! Oh, che sbadata, le serve anche .... ⑧ temperamatite, mentre per .... ⑨ libri non mi devo preoccupare perché glieli darà .... ⑩ scuola.

* **i carciofini** karczochy w zaprawie olejowej

4. Zaimki akcentowane w funkcji dopełnienia

1. Znajdź wśród liter (poziomo i pionowo) akcentowane zaimki osobowe w przypadkach zależnych.

```
E S A U S G E B E N S E T E E R F G
E S B S E N A U F S C H R E I B E N
G L F A U B(M E)M S T E I G E N R L
N T N R O D B E L N U M F U R A N U
S C O H R M I T B V O I G E N E S I
B O I L E S E N B E N U B E L L E G
E N E S S I G Z L E I R N A O H H I
N A N R U F E N E I N V I E R E E G
R U S S E A N P R O B I E R O N N X
```

2. Odpowiedz na poniższe pytania, używając w funkcji dopełnienia (we właściwym przypadku) włoskich form zaimków osobowych podanych w nawiasach.

1 Con chi vai al cinema?   _Vado con lui_..................... (on)

2 Con chi vieni in macchina?   .... (wy)

3 Da chi vai a cena stasera?   .... (ona)

4 Da chi abita Claudia?   .... (my)

5 Con chi andate in vacanza?   .... (oni)

6 Per chi sono queste fragole?   .... (on)

7 A chi hai spedito questa lettera? .... (ona)

8 In chi ha fiducia* Giovanna?   .... (ja)

9 A chi hanno dato l'incarico?   .... (ona)

10 Per chi è questo regalo?   .... (ty)

11 A chi telefoni domani?   .... (ona)

12 A chi hai domandato?   .... (oni)

* la **fiducia** zaufanie

3. **Zastąp podkreślone wyrazy właściwym zaimkiem akcentowanym w funkcji dopełnienia.**

1 Oggi ceno con <u>Sandra e Carola</u>.

  Oggi ceno con loro.

2 Preparerò l'esame con – <u>Luisa</u>.

3 Andrai con – <u>Carlo</u> a Perugia?

4 Ai <u>tuoi fratelli</u> piace fare sport?

5 Hai comunicato anche a – <u>Dario</u> la novità?

6 Giovedì vado a pranzo da <u>mia zia</u>.

4. **Wstaw brakujące zaimki osobowe.**

1 Insomma, ti sei decisa finalmente? Vieni con *me*........ o vai con *lui*..........?

2 Sto parlando a ....! Possibile che non mi ascolti mai?

3 Penso che dovresti telefonare a Maria e scusarti con ....

4 Signore, scusi, dico a .... Mi sente?

5 Il fine settimana andrò dai miei genitori e rimarrò da ....per tre giorni.

6 Stasera incontrerò i miei amici e andrò con ....al cinema.

7 Chiederò a Isa di accompagnarmi. Chiedo a ....e non a ....perché tu non vuoi mai uscire.

8 Povero ...., mi hanno rubato il portafoglio*!

9 L'ha fatto solo per ...., dovresti essergli più riconoscente.

10 Ha deciso di tornare a vivere da ....e i suoi genitori ne sono felicissimi.

* **il portafoglio** portfel

5. Zaimki nieakcentowane w funkcji dopełnienia

1. Znajdź zaimki w bierniku i zakreśl je.

R	Z	L	U	F	L	E
D	E	O	C	L	A	Q
M	A	E	B	S	A	S
I	M	N	L	E	C	I
S	T	U	I	P	N	T
E	I	Z	D	V	I	H

2. Zastąp podkreślone wyrazy zaimkami znalezionymi w poprzednim ćwiczeniu.

1 Carla legge <u>un bel libro</u>. _Carla lo legge._ ....

2 Io non firmo <u>questa lettera</u>. ....

3 Sandra invita <u>me</u> al ristorante. ....

4 Chi cucina <u>gli spaghetti</u>? ....

5 Capisco <u>te</u> quando parli italiano. ....

6 Invitano <u>noi</u> tutti i fine settimana. ....

7 Il professore interroga <u>voi</u> a lungo. ....

8 Aspettiamo <u>le vostre zie</u>. ....

9 Avete pulito <u>i vostri denti</u>? ....

10 Hai ascoltato <u>le mie parole</u>? ....

3 Odpowiedz na poniższe pytania, używając zaimków *mi, ti, lo, la* itd.

1 ● Mangi una pizza con me? ▲ Sì, _la_ .... mangio volentieri.

2 ● Mi aspetti domani dopo il lavoro? ▲ Certo, che .... aspetto.

3 ● Dove compri il regalo per Andreas? ▲ Non .... so ancora.

4 ● A che ora ti chiamo questa sera? ▲ .... puoi chiamare verso le sei.

5 ● Signora, prende un aperitivo? ▲ Grazie, ... prendo volentieri.

6 ● Hai visto i bambini di Giulia? ▲ Sì, ... ho visti tutti e due.

7 ● Hai parcheggiato bene la ▲ Sì, ... ho parcheggiata qui
macchina? vicino.

8 ● Hai già letto tutto il libro? ▲ No, non .... ho letto ancora tutto.

9 ● Chi ha portato queste belle rose? ▲ .... hanno portate i tuoi studenti.

10 ● Hai prenotato l'albergo? ▲ No, non .... ho ancora prenotato.

4. Znajdź zaimki w celowniku i zakreśl je.

L	E	H	M	P	E	Q
B	E	G	I	O	C	I
T	Q	L	E	M	C	O
I	R	I	A	L	N	I
R	T	F	I	C	V	V
L	O	R	O	S	Q	I

5. Zastąp podkreślone wyrazy zaimkami znalezionymi w poprzednim ćwiczeniu.

1 A mia sorella piace la musica. *Le piace la musica*

2 Quando telefoni a tuo fratello? ....

3 A me serve un'auto più veloce. ....

4 Che cosa hai detto ai tuoi genitori? ....

5 Scrivo una lettera alla Signora Carli. ....

6 Quando racconti a noi la tua avventura? ....

7 Confido a voi tutti i miei problemi. ....

8 Nasconde a te tutta la verità. ....

9 Ho regalato a mio padre un maglione. ....

6. **Napisz poniższe zdania w liczbie mnogiej. Zwróć uwagę na podkreślone zaimki.**

1 Ti telefono domani. *Vi telefono domani.*

2 Gli ho detto di venire. ....

3 Le ho raccontato tutta la storia. ....

4 Scusi, mi spiega dove è la stazione? ....

5 Mi chiedo dove sia finito* il libro. ....

6 Le ho detto di uscire. ....

7 Ti dispiace venire più vicino? ....

8 Mi hanno prestato i CD. ....

9 Ti ho fatto una domanda. ....

10 Mi ha descritto la situazione. ....

7. **Uzupełnij zdania zaimkami w celowniku *mi, ti, le, gli* itd.**

1 Hai incontrato Marco, *gli*..... hai già parlato?

2 È venuto da me e .... ha raccontato tutto.

3 Il bambino è sazio, ... ho dato da mangiare poco fa.

4 Signori, consiglio .... un vino rosso francese.

5 Scusa Luca, ... posso fare una domanda?

6 Hai visto Paolo? .... ha chiesto di me?

7 Signora, ... posso essere utile?

8 Accomodatevi, ... offro un caffè?

9 Antonella è molto buona, ... voglio molto bene.

10 Papà, per favore, ... presti la macchina stasera?

11 Hai tempo domani? Marta .... ha invitati a cena!

12 Carla, Luigi .... è piaciuto lo spettacolo?

* **finire** *tu:* podziać się

8. Odpowiedz na poniższe pytania, używając właściwego zaimka w celowniku. Zastosuj przy tym włoskie odpowiedniki podanych w nawiasie przysłówków.

1 ● Ti piace il prosciutto?   ▲ *Sì, mi piace molto* . *(bardzo)*

2 ● Vi scrivono regolarmente?   ▲ .... *(nigdy)*

3 ● Ti interessa la musica classica?   ▲ .... *(bardzo)*

4 ● Hai già telefonato a Gianni?   ▲ .... *(jutro)*

5 ● Hai già telefonato a Chiara?   ▲ .... *(wczoraj)*

9. Przetłumacz następujące zdania.

1 Pomagam mu.

   Lo aiuto. ....

2 Czy już do niej zadzwoniłeś?

....

3 On go już o wszystko zapytał.

....

4 Co jej odpowiedziałeś?

....

5 Odprowadzisz go do drzwi?

....

6 On nas nie poinformował.

....

7 Pani Nowak, zadzwonię do pani jutro.

....

8 Widuję ją każdego popołudnia.

....

9 Uczniowie uważnie jej słuchali.

....

10 Dziękuję ci.

....

6. Partykuły zaimkowe *ci* i *ne*

1. Do każdego pytania znajdź pasującą odpowiedź.

1 A che ora se ne è andata tua madre? ☐ *c*

2 Che ne pensano i tuoi genitori della tua decisione? ☐

3 Sei rimasta a lungo in biblioteca? ☐

4 Hai già sentito l'ultima notizia? Ne parlano tutti i giornali. ☐

5 Da quanto tempo abitano in campagna i De Santis? ☐

6 Che ne pensi di quelle persone? ☐

7 È un mercato dell'antiquariato molto famoso, ci si trovano
oggetti molto rari, vuoi venire con noi? ☐

8 Ci abbiamo pensato tutto il giorno, ma non siamo riusciti
a risolvere il problema. Cosa possiamo fare? ☐

a Sì, lo dico anche a Giulia così ci viene anche lei.
b No, non ne so ancora niente.
c Se ne è andata alle 19.00. ✔
d Non credo che ci si possa fidare di loro.
e Ci abitano da tre anni.
f Sì, ci sono rimasta tutto il pomeriggio.
g Ne dovreste parlare con il vostro direttore.
h Che è un po' affrettata.

2. Uzupełnij poniższe krótkie dialogi, wstawiając *ci* lub *ne*.

1 ● Che *ne*.......... dite di andare al mare questo fine settimana?

▲ Oh, sì, sarebbe bello. .... potremmo andare giovedì o venerdì e

star .... fino a domenica sera.

● .... andiamo con la mia macchina o con la vostra?

▲ Possiamo partire con la nostra, che è più grande. Che .... pensi di
dirlo anche a Carlo e Susanna?

● .... sarebbero davvero felici. .... tenevano tanto a trascorrere
qualche giorno di vacanza con noi.

2 ● Hai già visitato la Cappella Sistina dopo il suo restauro?

   ▲ No, non .... sono ancora andato, ma spero di andar .... presto.

3 ● Che .... pensi dell'ultimo CD di Sting?

   ▲ Non .... ho idea, non .... conosco neanche una di canzone, ma vorrei andare a vedere il suo concerto all'arena di Verona.

   ● Buona idea, potremmo andar .... insieme!

3. **Odpowiedz na poniższe pytania. Zastosuj *ci* oraz włoskie odpowiedniki podanych w nawiasie wyrazów.**

1 ● Quando andate a Roma?   ▲ *Ci andiamo domani.* *(jutro)*

2 ● Vieni a trovarmi?   ▲ .... *(niedziela)*

3 ● Chi viene con me a teatro?   ▲ .... *(ja)*

4 ● Vuoi venire al mare con noi?   ▲ .... *(chętnie)*

5 ● Quando andate a fare spese?   ▲ .... *(o godzinie 16.00)*

6 ● Come stai in questa città?   ▲ .... *(dobrze)*

7 ● Venite in vacanza con noi in estate? ▲ .... *(chętnie)*

8 ● Quanto tempo rimani a Zurigo?   ▲ .... *(tydzień)*

9 ● Quando sei andata all'università?   ▲ .... *(wczoraj)*

10 ● Quando tornerai in Italia?   ▲ .... *(wkrótce)*

4. **Uzupełnij zdania właściwymi formami podanych czasowników. Zwróć uwagę na *ci* i *ne*.**

> valerne   farci ✔   capirci   saperne   andarsene   poterne   starsene
> ricavarci

1 Non *farci* ..... caso. Mario è sempre di cattivo umore.

2 Non .... più! Quella donna è davvero noiosa, telefona tutti i giorni.

3 Questi esercizi di matematica sono terribili. Non .... niente.

4 .... davvero la pena di vedere questa mostra, è bellissima.

5 È un ragazzo molto pigro, ... tutto il giorno a letto.

6 I signori Rondi hanno fatto un investimento sbagliato, non .... nulla.

7 Si dà un sacco di arie, ma non .... niente di politica.

8 Deve essere molto arrabbiata, perché .... senza salutare.

5. Uzupełnij dialogi zaimkami *ci* i *ne*. Uważaj na końcówki w złożonych formach czasów.

1 ● Hai pensato alla mia proposta?

▲ No, non .*ci*.... ho pensat*o*............ .

2 ● A che ora sei andata dal dottore?

▲ .... sono andat............ alle 18.00.

3 ● Quante sigarette hai fumato?

▲ .... ho fumat............ solo due.

4 ● Avete pensato alla vostra famiglia?

▲ Sì, ... abbiamo pensat............ molto.

5 ● Hai spedito molte domande di lavoro?

▲ .... ho spedit............ almeno venti.

6 ● Quando siete andati al cinema?

▲ .... siamo andat............ sabato.

7 ● Signora, ha creduto alle sue parole?

▲ No, non .... ho credut............ affatto.

8 ● Quanti esercizi avete fatto?

▲ Non .... abbiamo fatt............ nessuno.

9 ● Ti sono piaciute le sue canzoni?

▲ Me .... sono piaciut............ solo due.

10 ● Quanti posti a teatro hai riservato?

▲ .... ho riservat............ quattro.

7. Dwa dopełnienia wyrażone zaimkami

1. Uzupełnij tabelę złożeniami zaimków.

	la	le	lo	li	ne
mi					me ne
ti		te le			
le **gli** **Le**				glieli	
ci	ce la				
vi			ve lo		
gli **loro**		gliele			

2. **Odpowiedz na następujące pytania, używając złożeń zaimków z powyższej tabeli.**

1 Hai già offerto un caffè a Maria?

Sì, gliel'ho già offerto... *(tak, już)*

2 Quando hai consegnato la lettera ai tuoi genitori?

.... *(wczoraj)*

3 Quanti esercizi Le restano ancora?

.... *(trzy)*

4 Puoi prestarmi i tuoi libri?

.... *(nie)*

5 Quando mi restituite la macchina fotografica?

.... *(przyszły tydzień)*

6 Ci hai preparato la cena?

.... *(jeszcze nie)*

7 Quando vi siete accorti dell'errore?

.... *(niedawno)*

3. **Przetłumacz następujące zdania.**

1 Już mu to powiedziałem.
(lo) gliel'ho già detto...

2 Czy możesz mi je *(ż., l.mn.)* pożyczyć?
....

3 Czy masz jego rzeczy do gry? Czy możesz mi je oddać.
....

4 Mamo, kup mi je *(m., l.mn.)*!
....

5 Powiedz mu to, on już cię zrozumie!
....

6 Czy już jej to opowiedziałeś?
....

7 Czy oni cię już o to pytali?
....

8 Jak myślisz? Czy możemy je *(m., l.mn.)* sobie kupić?
....

9 Profesor wyjaśnił nam to bardzo zrozumiale.
....

10 Tamta sukienka jest naprawdę piękna. Powinnaś ją sobie kupić.
....

4. **Zastąp podkreślone wyrazy właściwymi złożeniami zaimków.**

1 Alberto non ti ha detto la verità. Non te <u>l'ha detta</u>.

2 Il postino non vi ha ancora consegnato <u>il pacco</u>.

3 Hai già letto <u>la favola al bambino</u>?

4 Avete già ordinato <u>la pizza al cameriere</u>?

5 Non hanno ancora preparato <u>la cena alla figlia</u>.

6 Le avete già fatto vedere <u>le foto del battesimo</u>*?

* **il battesimo** chrzest

119

5. **Zastąp podkreślone wyrazy złożeniami zaimków.**

1 Hai comprato <u>la videocassetta a Sara</u>? ....

2 Chi vi ha consigliato <u>questo ristorante</u>? ....

3 Quando ti hanno spedito <u>le fatture*</u>? ....

4 Hai consegnato <u>i moduli d'iscrizione alla segretaria</u>? ....

6. **Te zdania podczas pisania pomieszały się. Uporządkuj je.**

1 ● Chi ti ha regalato questa collana? | e |

2 ● Chi ha detto ad Enrico dello sciopero?   ☐

3 ● Quando ci fai vedere le foto del tuo viaggio in America? ☐

4 ● Quando le racconterai tutto?   ☐

5 ● Quando ti comprerai dei nuovi occhiali?   ☐

6 ● Mi dai il tuo nuovo indirizzo?   ☐

7 ● Dove hai preso queste figurine*?   ☐

8 ● Chi le ha regalato quegli orecchini di brillanti?   ☐

9 ● Quando gli porteranno il nuovo divano?   ☐

10 ● Quando saprete l'esito degli esami?   ☐

a ▲ Glieli ha regalati suo marito.
b ▲ Te lo do subito.
c ▲ Glielo racconterò quando si sarà calmata.
d ▲ Me le hanno regalate a scuola.
e ▲ Me l'hanno regalata i miei genitori. ✔
f ▲ Gliel'ha detto sua sorella.
g ▲ Glielo porteranno il prossimo mese.
h ▲ Me li comprerò a luglio.
i ▲ Ce lo comunicheranno giovedì.
j ▲ Ve le faccio vedere la prossima settimana.

* **la fattura** rachunek; **le figurine** obrazki (np. z piłkarzami)

8. Zaimki wskazujące

1. Wstaw właściwy zaimek wskazujący.

1 *questa* / *quella* borsa

2 .... / .... orologi

3 .... / .... macchine

4 .... / .... automobile

5 .... / .... fiore

6 .... / .... isole

7 .... / .... nuvola

8 .... / .... cappotto

9 .... / .... uomo

10 .... / .... errori

2. Wstaw *quello* we właściwej formie i przyporządkuj odpowiedzi do odpowiednich pytań.

1 ● Chi è .... uomo anziano? a ▲ È la mia insegnante.

2 ● Chi è *quel* .... ragazzo? b ▲ È mia madre.

3 ● Chi è .... signora? c ▲ Sono americani.

4 ● Chi è ....signore? d ▲ È Renzo, un mio amico.

5 ● Chi sono .... bambini? e ▲ È mio nipote.

6 ● Chi è .... donna? f ▲ Sono due amiche di mia sorella.

7 ● Di dove sono .... studenti? g ▲ È mio nonno.

8 ● Chi è .... bambino? h ▲ È il nuovo insegnante inglese.

9 ● Chi sono .... ragazze? i ▲ È mio padre.

10 ● Chi è .... uomo? j ▲ Sono i miei figli.

3. **Uzupełnij zdania zaimkami wskazującymi z tabeli. Uważaj na końcówki.**

medesimo   questo ✔   stesso ✔   stesso colui   quello   codesto
stesso   medesimo   stesso

1 *Questa*... discoteca è noiosa, ci sono sempre le *stesse*...... persone.

2 Perché non mi ascolti mai? Ti devo sempre ripetere le .... cose.

3 .... è un dimostrativo un po' antiquato.

4 Si sono separati, ma vivono ancora sotto lo .... tetto.

5 Qualche volta lo sorprendo a parlare con sé ....

6 .... che si comporterà bene riceverà un bel premio.

7 Ogni anno in estate si ripete la .... storia: lui vuole andare al mare e lei in montagna.

8 .... ragazzi che vedi laggiù, li ho incontrati ieri sera in pizzeria.

9 Per me è lo ...., possiamo prendere anche la mia macchina.

4. *Questo* czy *quello*? **Uzupełnij dialogi właściwymi formami zaimków wskazujących.**

1 ● Guarda .... vestito qui, ti piace?

▲ Sì, è carino, ma .... lì è più bello.

2 ● Quanto costa .... anello lì?

▲ Quale? .... qui con i rubini?

3 ● Vedete .... studenti lì?

▲ Quali? .... accanto alla cabina telefonica o .... vicino alla banca?

4 ● Preferisci .... lampada qui o .... lì?

▲ Preferisco .... qui.

5 ● .... ragazzo lì è mio cugino.

▲ Quale? .... con gli occhiali o .... senza?

9. Zaimki dzierżawcze

1. Uzupełnij tabelkę.

la mia	....	_il mio_	....
....	_le tue_	....	_i tuoi_ ....
....	....	_il suo_	....
....	_le nostre_	....	....
la vostra	....	....	....
....	....	....	_i loro_ ....

2. Zastąp podkreślone wyrazy zaimkami dzierżawczymi.

1 Il libro di Piero è interessante.   _Il suo libro_ ...... **è interessante**.

2 La macchina di Rita è nuova.   ....

3 Le scarpe di Anna sono moderne.   ....

4 I genitori di Claudio sono simpatici.   ....

5 L'orologio di Maria è originale.   ....

6 La valigia di Marco è pesante.   ....

7 Il cane di Francesca è buono.   ....

8 I mobili di Teresa sono moderni.   ....

3. Napisz zdania w liczbie mnogiej.

1 Mia sorella vive in Italia.   _Le mie sorelle vivono in Italia._

2 Mia zia abita a Roma.   ....

3 Mio nonno è anziano.   ....

4 Mia cugina è molto carina.   ....

5 Mio nipote è vivace.   ....

6 Mia cognata è straniera.   ....

4. *Tu* czy *Lei*? Przekształć pytania.

tu	Lei
1 Come si chiama tuo marito?	*Come si chiama Suo marito?*
2 Va ancora a scuola tua figlia?	....
3	Dove è la Sua borsa?
4 È italiana la tua famiglia?	....
5	Quando arriva la Sua nuova macchina?
6 Sono sul tavolo i tuoi occhiali?	....
7	Trascorre le feste con la Sua famiglia?
8	È sposato Suo fratello?
9 Dove abitano le tue amiche?	....
10	È numerosa la Sua famiglia?

5. Przetłumacz poniższe zdania.

1 Czy podobają ci się moje okulary?

Ti piacciono i miei occhiali? ....

2 Mój brat poleciał do Ameryki.

....

3 Nasza praca jest naprawdę ciekawa.

....

4 Moja najstarsza siostra jest od roku mężatką.

....

5 Wczoraj odwiedziłam moich przyjaciół i zwiedziłam ich nowy dom.

....

6 Ciro opuścił swoje miasto, ponieważ nie znalazł tam pracy.

....

7 Udziałowcy spółki nie zgodzili się na jego propozycję.

....

8 Panie profesorze, pana książki są na stole.

....

9 Jej ojciec jest słynnym dziennikarzem.

....

10 Nasze dzieci mają siedem i cztery lata.

....

11 Znasz ich matkę?

....

12 Twój ojciec dzisiaj dzwonił.

....

6. Uzupełnij dialog odpowiednimi zaimkami dzierżawczymi. Uważaj na rodzajnik i – tam, gdzie to konieczne – na właściwy przyimek.

● Angela
▲ Carla

● Ciao Carla, hai visto *le mie* .... ① chiavi della macchina?

▲ Sì, le ha prese .... ② fratello, ma è già uscito!

● E dove è andato con .... ③ macchina?

▲ Credo volesse andare a trovare .... ④ amici inglesi, ma prima

passava a prendere .... ⑤ ragazza.

● Grazie per l'informazione. Lo chiamerò .... ⑥ cellulare* lo però

ho un appuntamento di lavoro molto urgente. Potresti prestarmi

.... ⑦ macchina?

▲ Certamente! Le chiavi sono .... ⑧ borsa.

● Ti ringrazio, ciao!!!

▲ Ciao, a presto.

* **il cellulare** telefon komórkowy

10. Zaimki nieokreślone

1. Te zdania niestety się wymieszały. Uporządkuj je.

1 Dite che non ci sono ☐

2 Non c'è proprio ☐

3 È rimasto senza parole, ☐

4 Lui dice di no, ☐

5 La segretaria consegnò ☐

6 Non riesce a montare la serra*, ☐

7 È un bambino molto ingenuo* ☐

8 Non riescono ad accordarsi*, ☐

9 Quando dorme ☐

10 Il telefono squillò alle due di notte, ☐

a ad ognuno un modulo da compilare.

b qualcuno dall'altro capo del telefono parlò in un modo incomprensibile.

c c'è qualcosa di errato nel foglio illustrativo.

d ognuno di loro vuole avere ragione.

e non ha proprio più nulla da dire.

f niente riesce a svegliarlo.

g niente da fare.

h a chiunque mi cerchi. ✔

i ma qualcosa deve essergli accaduto per comportarsi così.

j che crede alle parole di chiunque.

* la serra szklarnia; ingenuo naiwny; accordarsi porozumieć się

126

2. Wstaw każdy z poniższych zaimków nieokreślonych dwa razy (użycie przymiotnikowe).

certo ✔ ogni qualche qualsiasi qualunque

1 Ha telefonato una *certa*......... signora Carla.

2 .... cosa faccia gli riesce sempre bene.

3 Hai .... giorno libero? Io ne ho ancora tre.

4 Quando era malato, andavo .... giorno a trovarlo.

5 .... libro tu sceglierai, avrai sempre fatto un'ottima scelta.

6 .... persona deve essere responsabile delle proprie azioni.

7 .... gente è davvero impossibile, vuole sempre avere ragione.

8 Siamo disposti ad assecondarli, ... decisione loro prendano.

9 In .... situazione bisogna avere molto coraggio.

10 .... persona incontravo mi assicurava di averlo visto.

3. Zaznacz, czy podkreślone zaimki nieokreślone użyte są przymiotnikowo (P), czy zaimkowo (Z).

1 <u>Nessuna</u> di quelle persone parla tedesco. `Z`

2 Ci sono <u>molte</u> persone che non amano la montagna. ☐

3 <u>Ciascuno</u> dei partecipanti alla gara ricevette un premio di consolazione. ☐

4 Gli uni e gli <u>altri</u> devono presentarsi domani mattina in ufficio alle ore 8.00. ☐

5 Erano rimaste solo <u>poche</u> persone ad ascoltarlo. ☐

6 Tutti avevano studiato, tuttavia <u>nessuno</u> seppe rispondere alla domanda dell'insegnante. ☐

7 È una persona che parla <u>poco</u>. ☐

8 Si notava un <u>certo</u> nervosismo nell'aria, tutti gli atleti erano molto tesi. ☐

11. Zaimki i przysłówki pytające

1. Przyporządkuj do każdego pytania właściwą odpowiedź.

1 <u>A che</u> ora partiamo?	a Vado con Eleonora.
2 <u>Quando</u> torni a casa?	b Ho mangiato un'arancia.
3 <u>Con chi</u> vai a teatro?	c Ci vengo io.
4 Carlo, <u>quanti</u> anni hai?	d Il padrone di casa.
5 <u>Che cosa</u> hai mangiato?	e Nere.
6 <u>Chi</u> viene con me al bar.?	f Partiamo alle 15.00.
7 <u>Di che</u> colore sono le tue scarpe?	g Antonella.
8 <u>Come</u> si chiama tua sorella?	h Il 64.
9 <u>Chi</u> ti ha telefonato oggi?	i Torno dopodomani.
10 <u>Quale</u> autobus prendi?	j Ho vent'anni.

2. Uzupełnij zdania zaimkami pytającymi z ramki.

> quanti che dove quando come quale perché chi ✔
> che cosa che quanto chi perché

1 *Chi* .... è la signora che ti ha salutato?

2 A .... ora hai appuntamento dal dottore?

3 .... tempo ti sei fermato a Roma?

4 Ma .... arrivano? È un'ora che aspetto!

5 .... è il tuo cantante italiano preferito?

6 .... siete stati tutto questo tempo?

7 .... ti chiami?

8 .... facciamo stasera?

9 .... mi fai tutte queste domande?

10 .... spettatori c'erano al concerto?

11 Di .... sono questi guanti?

12 .... sei stato licenziato?

13 Di .... colore è la tua macchina?

3. Ułóż pytanie do każdej odpowiedzi.

1 ● *Dove andate domani?*
▲ Domani andiamo al mare.

2 ●
▲ Prendo un caffè, grazie.

3 ●
▲ I negozi la mattina aprono alle 9.00.

4 ●
▲ Ti telefono domani.

5 ●
▲ Questa sera andiamo in discoteca.

6 ●
▲ Sto telefonando a Marco.

7 ●
▲ Ho invitato trenta persone.

4. Przetłumacz poniższe zdania.

1 Z kim przedtem rozmawiałaś?

Con chi parlavi prima?

2 Co ci się stało?

3 O czym mówił dzisiaj profesor?

4 W którym roku ona się urodziła?

5 Jaki jest twój numer telefonu?

6 Jak się nazywasz?

7 Która jest godzina?

12. Zaimki względne

1. Utwórz zdania względne z zaimkiem względnym *che*.

1 Quel ragazzo sulle scale. Il ragazzo è mio fratello.

Quel ragazzo che è sulle scale è mio fratello.

2 Il libro nella borsa. Il libro è di Paola.

....

3 La macchina parcheggiata qui davanti. La macchina è di Luigi.

....

4 Il treno sul binario 3. Il treno va a Monaco.

....

5 Mario, mi puoi restituire il libro? Ieri ti ho prestato il libro.

....

6 Ho incontrato un tuo amico. Il tuo amico mi ha pregato di salutarti.

....

7 Ieri ho incontrato degli amici. Non vedevo gli amici da tanto tempo.

....

8 La famiglia abita nella nuova casa. Non conosciamo la famiglia.

....

9 Gli studenti sostengono l'esame. Gli studenti sono numerosi.

....

10 Maria ha ricevuto dei fiori. I fiori sono molto belli.

....

2. *Chi* czy *che*? Którzy zaimek względny tu pasuje?

1 *Chi* ha studiato, alzi la mano!

2 Mi passi il bicchiere .... sta sul tavolo, per favore?

3 .... vivrà, vedrà.

4 Il libro .... mi hai regalato è veramente avvincente.*

---

* **avvincente** fascynujący

5 Roberta proprio non sopporta .... dice le bugie.

6 Il treno .... ho preso all'andata era un po' in ritardo.

7 .... dorme non piglia pesci.*

8 La situazione politica ed economica .... trovammo in quel paese era disastrosa.

9 .... domani vuole venire con me a Roma, dovrà alzarsi molto presto.

10 Gli atleti .... partecipano alle olimpiadi sono i migliori del mondo.

3. **W poniższych zdaniach wstaw zaimek względny *cui* oraz odpowiedni przyimek.**

1 Gli amici .*con*.........*cui*.. mi incontro la sera sono simpatici.

2 La ragazza .... ti parlavo ieri è partita per Parigi.

3 Sono pochissime le persone .... telefona Giovanna.

4 La città .... abito ha molti monumenti antichi.

5 Ci sono molti animali in via di estinzione, ... la tigre siberiana.

6 Il treno .... stava viaggiando era un intercity.

7 Il motivo .... vollero partire prima, è sempre rimasto un mistero.

8 Il dottore .... va Chiara è molto gentile.

9 Gli amici .... faccio affidamento sono davvero pochi.

10 Gli spettatori, ... mi trovavo seduto allo stadio, vanno tutte le domeniche a vedere le partite.

11 Il ristorante .... spesso mangiamo è gestito da una famiglia italiana.

12 Le macchine .... ho parcheggiato sono due Porsche.

13 La famiglia .... ho abitato a Londra era molto gentile.

14 Le due donne, ... siedo in quella vecchia foto, erano le mie zie.

* **...dorme non piglia pesci** bez pracy nie ma kołaczy.

4. **Zastąp** *cui* **odpowiednią formą** *il quale*.

1 Quello è il giudice <u>da cui</u> dipendono le sorti dell'imputato.

Quello è il giudice dal quale dipendono le sorti dell'imputato.

2 „La vita è bella" è il film con cui Roberto Benigni ha vinto 3 oscar.

3 La ragazza <u>di cui</u> ti sto parlando dovrà sostenere tra un mese l'esame di laurea.

4 La signora <u>a cui</u> ho telefonato questa mattina è di Parma.

5 Ci sono molte cose <u>di cui</u> non ti ha ancora parlato.

6 La casa <u>in cui</u> vivono è piuttosto vecchia, dovrebbe essere ristrutturata.

7 Non è riuscito a passare l'esame <u>per cui</u> stava studiando da tanti mesi.

8 La persona <u>a cui</u> sto scrivendo questa lettera è una mia carissima amica.

5. **Uzupełnij zaimki względne. Uważaj na przyimki!**

1 Sandra è arrivata nel momento *in cui* stavo rientrando a casa.

2 Quella è la ragazza .... mi ha rivenduto il libro di italiano.

3 La linea aerea .... ho volato è l'Alitalia.

4 Non riesco più a trovare il quotidiano .... ho acquistato stamattina.

5 È una persona .... contavo, ma mi ha deluso moltissimo.

6 Il negozio .... lavorava Lucia si è trasferito altrove.

7 Gli studenti .... frequentano il corso sono sempre molto allegri.

8 La persona .... mi sono fermato a parlare è un mio vecchio professore d'italiano.

13. Przymiotnik

1. Wstaw odpowiednie końcówki.

la cas*a*..... spazios*a*.....

il professor....... gentil.......

le man........ piccol.......

la penn........ stilografic.......

i bambin........ diligent.......

la pizz....... saporit.......

i tren........ puntual........

i pesc....... colorat........

2. Który przymiotnik łączy się z którym rzeczownikiem?

1	la stanza	a	antico
2	il gatto	b	luminosa
3	la lezione	c	stretto
4	il bicchiere	d	intelligente
5	lo studente	e	interessante
6	il vestito	f	accogliente
7	la rosa	g	diligente
8	lo scolaro	h	nero
9	il mobile	i	vuoto
10	la casa	j	rossa

3. Uzupełnij odpowiednie formy liczby pojedynczej.

1 *la nuvola grigia*............................... ← le nuvole grigie

2 .... ← gli orologi precisi

3 .... ← i mobili moderni

4 .... ← gli stranieri ricchi

5 .... ← le studentesse straniere

6 .... ← gli animali feroci

7 .... ← i bar italiani

8 .... ← le macchine veloci

9 .... ← i film interessanti

4. Odpowiedz na pytania. Użyj włoskich odpowiedników przymiotników podanych w nawiasach.

1 Come è il programma? *Il programma è interessante.* *(ciekawy)*

2 Di che colore sono le piante? .... *(zielony)*

3 Come è la lezione? .... *(nudny)*

4 Come è la bottiglia? .... *(pełny)*

5 Di che nazionalità è lo
  studente? .... *(niemiecki)*

6 Come è il ristorante? .... *(drogi)*

7 Come è il vestito? .... *(elegancki)*

8 Come è il corso d'italiano? .... *(ciężki)*

9 Come sono le valigie? .... *(bardzo ciężki)*

10 Come è la frutta? .... *(dojrzały)*

11 Di che colore è il tuo
   maglione nuovo? .... *(czerwony)*

12 Come è il romanzo? .... *(piękny)*

5. Przetłumacz poniższe zdania.

1 Mam niemiecki samochód. ....

2 Mamy małego psa. ....

3 Benigni jest włoskim aktorem. ....

4 Paolo mieszka w tym dużym domu. ....

5 W lecie łąki są bardzo zielone. ....

6 Oni są bogaci, mają dużo pieniędzy. ....

7 Ich sypialnia jest bardzo jasna. ....

8 Andreas jest bardzo sprytnym dzieckiem. ....

9 Te zdjęcia są piękne. ....

10 Dzisiejsza pogoda jest brzydka, pada deszcz. ....

6. Uzupełnij zdania właściwymi formami *quello* i *bello*.

1 Oggi fa *bel*......... tempo, potremmo fare una passeggiata.

2 Che .... scarpe! Dove le hai comprate?

3 Come si chiama .... ragazzo che mi hai presentato ieri sera?

4 Per il suo compleanno Luca ha ricevuto molti .... regali.

5 Mio padre lavora in .... ufficio vicino alla stazione.

6 Mio cugino ha comprato una .... macchina sportiva.

7 Ieri Antonella ha acquistato un .... orologio.

8 Di chi è .... rivista sul tavolo? È tua?

9 .... studenti arrivano sempre tardi a lezione.

10 Roma è una città molto .... e ricca di storia.

7. Uzupełnij brakujące końcówki.

Lo scors*o*...... ① anno ho trascorso delle meraviglios........ ② vacanze in Sicilia, che è l'isola più grand........ ③ del Mar Mediterraneo ed un luogo ricc........ ④ di storia, cultura e bellezze natural........ ⑤.

In Sicilia non ci si annoia mai, ci sono molt........ ⑥ cose da vedere: antich........ ⑦ templi grec........ ⑧, chiese e palazzi normann........ ⑨ e barocch........ ⑩ e mosaici magnific........ ⑪. Anche i suoi paesaggi sono affascinant........ ⑫, ma soprattutto la gente è cordial........ ⑬ ed apert........ ⑭.

I siciliani sono persone davvero ospital........ ⑮ e la loro cucina, a base di pesce e verdure fresch........ ⑯, è rinomat........ ⑰ per la sua bontà e il suo particolar........ ⑱ gusto. Altra caratteristica dell'isola sono le piantagioni di agrumi* profumat........ ⑲ che contribuiscono a rendere la Sicilia unic........ ⑳ al mondo.

* **gli agrum**i owoce cytrusowe

135

14. Przysłówek

1. Utwórz przysłówki od podanych przymiotników.

1 cortese → _cortesemente_................................

2 leggero → ....

3 naturale → ....

4 raro → ....

5 personale → ....

6 vero → ....

7 erroneo → ....

8 urgente → ....

9 lungo → ....

10 caldo → ....

2. Utwórz zdania według podanego wzoru.

1 molto – incontro – la – raramente

La incontro molto raramente.................................

2 sera – ho – ieri – mangiato – bene – veramente

....

3 ragazza – una – è – simpatica – Rosa – davvero

....

4 giornata – bella – una – molto – è – oggi

....

5 veramente – libro – quel – interessante – è

....

6 cose – Andrea – divertenti – dice – molto – sempre

....

7 tuo – ieri – compleanno – dimenticato – il – ho – scusami

....

3. Wstaw pasujące przysłówki.

ieri sempre anche ✔ molto bene più troppo bene più attentamente

1 *Anche* .... io vengo dall'Italia.

2 .... mi sono svegliata alle 6.00 del mattino.

3 Non abbiamo .... soldi, dobbiamo tornare a casa.

4. L'inizio è .... difficile.

5 La tua insegnante ha detto che devi ascoltare più ....
e non ti devi distrarre.

6 Speriamo che vada tutto ....

7 Non fuma .... da un anno.

8 Mi pare che Luigi abbia bevuto ....

9 I bambini hanno cantato e suonato ....

4. Przymiotnik czy przysłówek? Wstaw właściwą formę.

1 attento – attentamente

La polizia ha controllato *attentamente* .... tutte le auto.

2 eleganti – elegantemente

Carlo compra sempre delle camicie ....

3 bene – buona

Questa pizza è veramente ....

4 vero – veramente

L'ultimo film di Benigni era .... interessante.

5 stanchi – stancamente

Ogni volta che tornano dalla gita sono molto ....

6 felici – felicemente

Sono .... sposati da un anno.

7 originalmente – originale

È un libro molto bello, la trama del racconto è ....

8 urgente – urgentemente

È arrivata una lettera per te, è ....

9 urgentemente – urgente

Mia sorella ha .... bisogno della macchina.

10 luminosa – luminosamente

Hanno comprato una casa assolata e ....

5. Przetłumacz następujące zdania. Uważaj na miejsce przysłówka.

1 Jest już bardzo późno.

....

2 Giulia jest bardzo podatna na choroby, ciągle jest chora.

....

3 Inflacja trochę wzrosła.

....

4 Moje dzieci nigdy nie chodzą wcześnie spać.

....

5 Ona bardzo dobrze mówi w czterech językach.

....

6 A teraz, idziemy na spacer?

....

7 Zaraz przyjdę!

....

8 Co robiłeś wczoraj?

....

9 Moja szwagierka jada tylko po wegetariańsku.

....

10 Po wojnie wiele miast było całkowicie zniszczonych.

....

15. Stopniowanie

1. Utwórz zdania według następującego wzoru.

Sandro – diligente – Mario
Sandro è più diligente di Mario.
Sandro è meno diligente di Mario.
Sandro è tanto diligente quanto Mario.

1 Claudio – bravo – Marco

....

....

....

2 Marta – bella – Rosa

....

....

....

3 Roberto – pigro – Massimo

....

....

....

4 Elsa – magra – Antonella

....

....

....

5 Luca – vivace – Andrea

....

....

....

6 Angela – alta – Paola

....

....

....

2. Di czy che? Utwórz *comparativo di maggioranza.*

1 È *più*........ facile capire *che*........ parlare una lingua.

2 Le Alpi sono .... alte .... Appennini.

3 I tedeschi leggono .... libri .... italiani.

4 Viaggiare in treno è .... piacevole .... viaggiare in macchina.

5 In Germania ci sono .... boschi .... in Italia.

6 Roma è .... grande .... Firenze.

7 La Ferrari è .... veloce .... McLaren.

8 Sciare è .... divertente .... giocare a golf.

9 L'italiano è .... difficile .... tedesco.

10 Clara studia .... te.

11 Gianni è .... alto .... Mario.

12 Febbraio è .... breve .... marzo.

3. Di czy che? Utwórz *comparativo di minoranza.*

1 I giornali sono *meno*.... interessanti *dei*........ libri.

2 Quella ragazza è .... simpatica .... tua sorella.

3 La motocicletta è .... veloce .... macchina.

4 Laura conosce .... Roma .... Monaco.

5 La casa dei miei genitori è .... grande .... mia.

6 Questa torta è .... buona .... bella.

7 Il fiume Po è .... lungo .... Reno*.

8 Lavorare è .... piacevole .... oziare*.

9 Questo vino è .... buono .... altro.

10 Andare in bicicletta è .... faticoso .... andare a piedi.

* **il Reno** Ren; **oziare** leniuchować

4. „Z pamiętnika pechowca". Uzupełnij tekst *superlativo assoluto*.

altissima sporchissimo pessima ✔ affollatissimo* prossimo
pessimo molto arrabbiato tardissimo caldissima molto affamato
bagnatissimo tardissimo freddissima bellissima

Caro diario,

Ieri ho avuto una .... ① giornata. Mi sono svegliato

.... ② perché non ho sentito la sveglia. Sono corso

alla stazione ma il treno diretto* per Domodossola era già partito, così ho

aspettato il .... ③ che sfortunatamente era un treno

locale* .... ④. Quando sono arrivato in ufficio il

direttore era .... ⑤ per il mio ritardo.

All'ora di pranzo sono andato al ristorante con un mio collega perché ero

.... ⑥. La cameriera, per errore, mi ha rovesciato

addosso un piatto di minestra .... ⑦.

Quando siamo usciti il mio vestito era .... ⑧

e .... ⑨. Stavo tornando alla stazione in quello

stato pietoso*, quando una macchina ad .... ⑩

velocità mi ha quasi investito.

La sera sono tornato a casa in un .... ⑪ stato;

speravo di trovare mia moglie per raccontarle tutto, ma lei era uscita e sul

tavolo c'era la cena ormai .... ⑫ ed un biglietto.

C'era scritto: „Ciao caro, spero che tu abbia avuto una giornata

.... ⑬, io sono andata al cinema con Anna. Torno

.... ⑭, non mi aspettare, Carla".

Caro diario, una giornata davvero da dimenticare!!!

---

* **affollatissimo** przepełniony; **il treno diretto** pociąg pospieszny; **il treno locale** pociąg pod-
miejski; **in uno stato pietoso** w żałosnym stanie

5. Uzupełnij zdania nieregularnymi formami stopnia wyższego
i najwyższego.

migliore   peggio   maggiore   minore   superiore   inferiore   ultimo
prossimo   primo   infimo ✔

1 È un locale di *infima* fama.

2 Angelo è il .... (−) dei miei fratelli.

3 Carlo ha aspettato fino all' ...., poi si è deciso a partire.

4 Il grado di preparazione di questi studenti è .... (−)alle
  aspettative.

5 Quella studentessa è la .... (+) della classe.

6 Si è fatto così tardi, dovrò prendere il .... treno.

7 I miei genitori abitano al piano .... (+).

8 Oggi è il mio .... giorno di vacanza.

9 Vivere in una grande città è .... (−) di quanto pensassi.

10 Elsa è la .... (+) delle tre sorelle.

6. Jak brzmią formy *superlativo relativo*? Uzupełnij zdania.

1 Roma è *la più* importante città *d'* Italia.

2 Il falco pellegrino è .... veloce .... animali.

3 Gennaio è il mese .... freddo .... anno.

4 L'estate è .... calda .... tutte le stagioni.

5 Il Po è il fiume .... lungo .... Italia.

6 Il Gran Sasso è il monte .... alto .... Appennini.

7 La sua camera è .... luminosa .... tutta la casa.

8 La Lamborghini Diablo è la macchina .... veloce .... ci sia.

9 La tigre è .... grande .... felini.

10 Bianca è .... simpatica .... tue amiche.

16. Czas teraźniejszy

1. W tej tabeli poprzestawiały się wyrazy.
   Uporządkuj je.

	guardare	credere	dormire
io	guardiamo	credono	dormi
	....	....	....
tu	guardo	credete	dorme
	....	....	....
lei lui Lei	guarda	credi	dormono
	....	....	....
noi	guardi	credo	dormo
	....	....	....
voi	guardano	crediamo	dormiamo
	....	....	....
loro, Loro	guardate	crede	dormite
	....	....	....

2. W tych czasownikach poprzestawiały się litery. Odtwórz właściwe
   formy bezokolicznikowe.

1 arervola   *lavorare* ....

2 gainamer   ....

3 idreomr   ....

4 ervecsir   ....

5 egruarad   ....

6 adiruge   ....

7 ipcear   ....

8 larrepa   ....

9 erinif   ....

3. Uzupełnij zdania czasownikami z ćwiczenia 2.

1 ● A che ora *finisci*........ di lavorare?

▲ ogni *Finisco*..... giorno alle 16.00.

2 ● Michael, ... bene l'italiano?

▲ Sì, lo ...., ma solo se parli lentamente.

3 ● Da quanti anni .... la macchina?

▲ La .... da tre anni.

4 ● Tua sorella .... volentieri la cioccolata?

▲ Sì, la .... molto volentieri.

5 ● Fino a che ora .... il fine settimana?

▲ Noi .... fino alle 9.00.

6 ● Quella tua amica americana .... sempre così tanto?

▲ Sì, a lei piace molto .... Ma non ascolta mai.

7 ● .... spesso la televisione?

▲ No, la .... molto raramente.

8 ● A chi .... quella lettera?

▲ La .... ai miei genitori.

9 ● Tuo zio .... sempre così tanto?

▲ Sì, spesso .... anche il sabato.

4. Czasowniki podane w nawiasach wstaw w czasie teraźniejszym.

1 A che ora *parte*........ il treno per Napoli? (partire)

2 Quando .... (voi – tornare) dalle vacanze?

3 Anna .... (abitare) a Venezia da due anni.

4 Noi .... (preferire) il mare alla montagna.

5 .... (tu – ascoltare) sempre la radio quando guidi?

6 Mio figlio .... (finire) presto di lavorare.

7 In questo ristorante si .... (spendere) poco e la cucina è genuina.

8 Molte persone .... (leggere) tutti i giorni il giornale.

9 Sandro .... (telefonare) sempre per sapere come stai.

10 La mattina molti italiani .... (prendere) il caffè al bar.

5 Znajdź ukryte czasowniki. Następnie uzupełnij zdania odpowiednimi formami czasu teraźniejszego.

```
E S A (B E R E) B E N S E N V E G F C
F I N I R E A U F S C H L E I U E A
G L F A U G B U M S T E E G E A R P
N T A R C A N T A R E M G U R R N I
S C H H R L I T B R I N G E N D S R
V O R L E A E D A R E U E E R A E E
F A R E S R G Z U V O R R A C R H I
N A N R U E E N E I N V E E L E E G
R S P E N D E R E O B I E R E N N X
```

1 Ho una sete terribile, *beviamo*..... qualcosa in questo bar?

2 Ha davvero una voce stupenda. Quella ragazza .... divinamente.

3 Andrea .... tutti i suoi risparmi per comprare auto da collezionismo.

4 Anna e Isa .... sempre molti libri.

5 Che cosa (tu) .... ad Antonio per il suo compleanno?

6 Questi bambini sono veramente bravi a scuola, ogni giorno .... grandi progressi.

7 (voi) .... di studiare, altrimenti non potrete andare a giocare.

8 (io) .... perfettamente il tuo problema, ma ora proprio non posso aiutarti.

9 Teresa lavora molto, ora .... anche lezioni d'italiano.

10 Mentre lavora, (lui) .... sempre l'orologio.

6. Uzupełnij zdania formami czasu teraźniejszego następujących czasowników.

dare   dire   fare   bere ✔   stare

1 Giancarlo non *beve*...... mai acqua minerale gassata.

2 Di domenica .... (loro) sempre una gita fuori città.

3 ● Ciao Lorena, come ....? ▲ .... bene, grazie e tu?

4 Nicola .... sempre un sacco di bugie.

5 Scusi, mi .... una mano per favore, questa valigia è così pesante.

6 Che ne .... di questo libro? Ti piace?

7. Wstaw czasowniki w czasie teraźniejszym.

Marta *è*.... (essere) ① una giovane studentessa. Lei ....

(avere) ② ventidue anni e .... (studiare) ③ all'Università di

Roma „La Sapienza", dove .... (frequentare) ④ il terzo anno

di medicina. Marta .... (avere) ⑤ sempre poco tempo libero,

perché .... (andare) ⑥ quasi tutti i giorni a lezione. La sera

però, quando .... (finire) ⑦ di studiare, ...

(uscire) ⑧ spesso con gli amici e tutti insieme .... (andare) ⑨

in discoteca o al cinema. Qualche volta, quando ....

(essere) ⑩ stanca o .... (tornare) ⑪ tardi dall'università,

.... (preferire) ⑫ restare a casa con i suoi genitori e

.... (leggere) ⑬ dei libri. Durante i fine settimana lei e la sua

famiglia .... (fare) ⑭ delle gite. In estate ....

(andare) ⑮ spesso al mare, dove .... (avere) ⑯ una casa.

Lì Marta .... (rilassarsi) ⑰ e .... (praticare) ⑱

anche un po' di sport, perché .... (esserci) ⑲ un bel centro

sportivo.

17. Czasowniki *essere* i *avere*

1. Odpowiedz na pytania, używając odpowiednich form *essere*.

1 ● Di dove sei? ▲ Io *sono*..... di Roma.

2 ● Di chi sono i libri? ▲ .... di Mario.

3 ● Siete a casa stasera? ▲ .... al cinema.

4 ● Dove è Lucia? ▲ .... dalla nonna.

5 ● Dove siete domani? ▲ .... a scuola.

6 ● Da chi sono Luigi e Maria domani? ▲ .... da amici.

7 ● Chi è questo ragazzo nella foto? ▲ .... un mio amico.

8 ● Dove sei oggi pomeriggio? ▲ .... in palestra.

9 ● Di dove è la tua amica? ▲ .... di Firenze.

10 ● Dove è tuo padre? ▲ .... in centro.

11 ● Dove sono i fiori? ▲ .... in giardino.

2. Uzupełnij tabelę.

	essere	avere
io	....	....
tu	....	*hai*....................
lui, lei	....	....
Lei	....	....
noi	*siamo*....................	....
voi	*siete*....................	....
loro, Loro	....	*hanno*....................

3. Wstaw odpowiednie formy *avere*.

1 Ragazzi, *avete* fame?

2 Chi di voi .... l'indirizzo di Sandro?

3 Luca e Andrea .... le mani bucate, spendono sempre tanto.

4 Mi .... telefonato tu oggi?

5 Marco .... comprato una bella moto rossa.

6 Ieri (tu) .... incontrato mia sorella al cinema?

7 (voi) .... già deciso dove andare in vacanza quest'estate?

4. Utwórz zdania z *c'e* / *ci sono*.

1 La segretaria è in ufficio.   *In ufficio c'è la segretaria.*

2 I vestiti sono nell'armadio.   ....

3 Un parcheggio è davanti alla stazione. ....

4 L'insegnante è in classe.   ....

5 La fermata dell'autobus è qui vicino.   ....

6 Il gatto è sul davanzale della finestra. ....

5. *Essere* czy *avere*? Uzupełnij formy czasu przeszłego właściwym czasownikiem posiłkowym.

1 Carla *è* partita ieri per l'America.

2 (io) .... assaggiato tutti i dolci.

3 Venerdì (noi) .... usciti presto dall'ufficio.

4 La mia amica .... abitato per due anni a Milano.

5 Lo scorso anno (lei) .... andata molto spesso al mare.

6 Ieri sera .... venuto Gianni a cena.

7 Luca .... terminato il corso di sci.

8 I soldati .... marciato per un'ora sotto la pioggia.

18. Czas przeszły *passato prossimo* i imiesłów bierny

1. *Essere* czy *avere*? Z którym czasownikiem posiłkowym tworzą
złożone formy czasu przeszłego następujące czasowniki?

> volare ✔ camminare andare ridere viaggiare fare essere
> piovere avere comprare vedere cadere telefonare venire
> dimenticare nevicare vivere credere partire tornare

avere .....*volare*........... ....

....

....

essere ....

....

....

2. Jak brzmi imiesłów bierny następujących czasowników?
   Uwaga! Wszystkie są nieregularne.

1	leggere	*letto*..........	11	ridere	....
2	mettere	....	12	nascere	....
3	fare	....	13	perdere	....
4	bere	....	14	dividere	....
5	dare	....	15	aprire	....
6	tradurre	....	16	scendere	....
7	rimanere	....	17	riflettere*	....
8	soffrire	....	18	offrire	....
9	vincere*	....	19	correre	....
10	scrivere	....	20	spingere	....

* **vincere** wygrać; **riflettere** rozważać

3. Napisz podane zdania w czasie *passato prossimo*. Uważaj na pewne zmiany, np. przy określeniach czasu.

1 Oggi compro un vestito nuovo.

Oggi ho comprato un vestito nuovo. ....

2 Chiara e Mauro vanno al cinema.

....

3 A scuola traduciamo dei testi latini molto difficili.

....

4 Perché non vieni a trovarmi?

....

5 Domenico arriva sempre in ritardo a scuola.

....

6 Che cosa fate il fine settimana?

....

7 Oggi piove ininterrottamente!

....

8 Mia sorella si sposa in autunno.

....

9 Sting dà un concerto all'Arena di Verona.

....

4. Uzupełnij brakujące końcówki.

1 Il treno è arrivat*o*...... in ritardo.

2 Mario ha sentit........ molte storie, ma nessuna così affascinante come quella.

3 La sua nuova borsa mi è piaciut........ molto.

4 Maria, ti ho telefonat........ tutto il giorno, ma non c'eri.

5 Sulla regione si è abbattu........ per tutta la notte un forte temporale.

6 Hai comprat........ poi quella lampada che ti piaceva tanto?

7 Valentina e Fabio si sono fidanzat........ a marzo.

8 La figlia della signora Petrucci ha sposat........ un noto avvocato.

5. Znajdź w diagramie (poziomo i pionowo) imiesłowy bierne czasowników regularnych i nieregularnych. Następnie uzupełnij zdania formami *passato prossimo* tych czasowników.

```
E S C R I T T O E C A D U T O R F V
E N B V E N A U T O R N A T O B E E
P A F I U E B U M S A L I T O N R N
O T A S O V B E L N U M F U R A N U
R O H S R I I S V E G L I A T O S T
T O R U E C E N B U S C I T O L E O
A N E T S A G Z U V O R N A C H H I
T A N O U T E D I M E N T I C A T O
O U S S E O N P E R T I T O E N N X
```

1 Questa mattina *ho scritto* (scrivere) una cartolina alla mia amica.

2 Giulio .... (nascere) a Siena, ma vive a Roma da dieci anni.

3 La scorsa settimana Sandra .... (cadere) dalle scale.

4 I signori Melis .... (vivere) per molti anni in Germania, poi

  .... (tornare) in Sardegna.

5 Due ore fa .... (venire) la signora Mancini.

6 Prima di uscire Isabella .... (dimenticare) di spegnere la luce.

7 Ieri la temperatura .... (salire) fino a 39 gradi.

8 Giorgio .... (svegliarsi) tardi ed .... (uscire) senza fare colazione.

9 Ieri .... (nevicare) tutto il giorno.

10 Il Signor Salvan .... (portare) questi documenti.

6. Uzupełnij brakujące końcówki w odpowiedziach.

1 ● Sandro, hai comprato la frutta? ▲ Sì, l'ho comprata....... .

2 ● Nanni, hai già visto quel film? ▲ Sì, l'ho già vist........ .

3 ● Avete visitato quella città? ▲ Sì, l'abbiamo visitat........ .

4 ● Andrea, hai chiesto scusa a tuo fratello? ▲ Sì, gliel'ho chiest........ .

5 ● Sei riuscito poi a trovare Angela? ▲ No, non ci sono riuscit........ .

7. Uzupełnij brakujące końcówki.

1 ● Signor Paoli, ha già letto la rivista?   ▲ No, non l'ho lett........ .

2 ● Sara, hai già lavato la macchina?   ▲ Sì, l'ho lavat........ .

3 ● Hai visto Teresa e Paolo ieri?   ▲ Sì, li ho incontrat........ al bar.

4 ● Avete scattato anche alcune foto?   ▲ Sì, ne abbiamo scattat....... molte.

5 ● Dove hanno conosciuto Marina?   ▲ L'hanno conosciut........ a Parigi.

8. Wstaw czasowniki w odpowiedniej formie czasu przeszłego.

Quando _andavo_........... (andare) ① al liceo, ... (essere) ② in una

classe mista ed .... (essere) ③ circa 30 tra ragazzi e ragazze.

.... (essere) ④ insieme per cinque anni, ma non ....

(essere) ⑤ mai una classe molto unita. .... (formarsi) ⑥ sempre

dei gruppetti ed ogni volta che .... (organizzare) ⑦ una gita o

una festa .... (essere) ⑧ al massimo una decina a parteciparvi.

I nostri insegnanti .... (essere) ⑨ molto severi. e

(dovere) ⑩ studiare molto. .... (essere) ⑪ anche gli anni delle

manifestazioni studentesche e dei movimenti giovanili e così qualche

volta non .... (andare) ⑫ a scuola e .... (fare) ⑬ scio-

pero*. Dopo la maturità* soltanto cinque di noi .... (proseguire)

⑭ gli studi e .... (andare) ⑮ all'università; gli altri ....

(trovare) ⑯ un lavoro, alcune ragazze, invece, ... (decidere) ⑰

di fare le mamme a tempo pieno.

Ora ci vediamo raramente, anche perché molti di noi .... ⑱

(trasferirsi) in altre città, ma quando ci incontriamo ripensiamo volentieri

ai tempi passati!

* **lo sciopero** strajk; **la maturità** matura

19. Czas przeszły *imperfetto*

1. Jak brzmią formy *imperfetto*?
Uzupełnij tabelkę.

	guardare	leggere	partire
io	....	*leggevo*	....
tu	....	....	....
lui, lei, Lei	....	....	*partiva*
noi	*guardavamo*	....	....
voi	*guardavate*	....	....
loro, Loro	....	....	....

2. Utwórz zdania według podanego wzoru.

1 avevo – sabato – un – con – scorso – appuntamento – amico

Sabato scorso avevo un appuntamento con un amico.
2 Roberto – bambino – un – era – buono – sensibile – molto – e

....
3 abitavo – fa – con – anni – due – ancora – i – genitori – miei

....
4 bambino – andava – da – Adriano – spesso – al – in – mare – vacanza

....
5 casa – bellissimi – sempre – da – dei – mia – vedevo – tramonti

....
6 casa – aveva – la – una – lago – stupenda – sul – vista

....
7 smesso – fumare – ha – Clara – di – ma – aveva – poi – ricominciato

....
8 mal – ieri – testa – Susanna – sera – di – aveva

....

9 miei – erano – i – liceo – insegnanti – molto – del – bravi

....

10 mai – casa – di – non – a – mezzanotte – tornavano – prima

....

3. **Znajdź w diagramie (poziomo i pionowo) jedenaście czasowników w bezokoliczniku. Następnie uzupełnij zdania odpowiednimi formami czasu *imperfetto* tych czasowników.**

```
A M S T O V F M T X Y L N J G O U L
I N C O N T R A R S I E N V E S F P
L S A D D O R M E N T A R S I E E O
E L C O S T A R E S T E I G E N R S
G T A R O D B E A N D A R E R T N S
G C H H R M I T B R I N G E N I S E
E O M A N G I A R E N U B E R R E D
R N E S S I G I O C A R E A C S H E
E A N R U F E N E I N V I E L I E R
I N C O N T R A R E B P O R T A R E
S T M B O R A X B L H S R O C G E I
```

1 Da piccola (lei) *giocava*...... sempre con i suoi nonni.

2 Ogni anno (io) .... al mare con la mia famiglia.

3 Da studenti (noi) .... sempre alla mensa dell'università.

4 Quella macchina .... troppo.

5 Ieri sera Fausto non .... bene.

6 Il fine settimana i bambini .... sempre tardi.

7 Luciana da ragazza .... sempre libri romantici.

8 Venti anni fa la gente .... meno automobili.

9 Di sera Alfredo .... sempre con gli amici.

10 Ogni giorno (io) .... la signora Bianchi che

.... il suo cane a passeggio.

4. Wstaw odpowiednie formy *imperfetto*.

Quando .*ero*...... (essere) ① bambina .... (andare) ② spesso ln un

paesino vicino a Roma. Lì, in estate, ... (vivere) ③ i miei nonni.

Noi bambine li .... (andare) ④ a trovare e ....

(potere) ⑤ trascorrere sempre alcuni giorni da loro prima di partire per il

mare con i nostri genitori.

La loro casa non .... (essere) ⑥ grandissima, ma molto interes-

sante. .... (esserci) ⑦ un bel giardino e all'ultimo piano una

mansarda, che loro .... (usare) ⑧ come ripostiglio. Quel luogo,

grande e buio, ... (essere) ⑨ pieno di cose vecchie e curiose,

che a noi .... (sembrare) ⑩ tutte molto affascinanti. In quel pae-

sino .... (noi – avere) ⑪ anche molti amici, con i quali ....

.... (giocare) ⑫ sempre. Per noi bambini quel luogo ....

.... (essere) ⑬ come un piccolo paradiso, non ....

(girare) ⑭ molte macchine e noi .... (potere) ⑮ correre ovunque.

A volte .... (andare) ⑯ con i nonni a fare delle passeggiate in

montagna e mio nonno ci .... (raccontare) ⑰ sempre delle

storie fantastiche che ancora oggi ricordo con molta nostalgia.

5. *Passato prossimo* czy *imperfetto*? Uzupełnij zdania.

1 Questa mattina, quando .*sei arrivato*..... (tu – arrivare), ...
  (io – essere) ancora a letto.

2 Ieri sera a quest'ora .... (io – leggere) il giornale.

3 Ieri sera in due ore .... (io – leggere) tutto il giornale.

4 Stefania .... (partire) la scorsa settimana per il Cile.

5 Oggi .... (incontrare) la signora Mancini. Non la
  .... (vedere) da tre anni.

6. Passato prossimo czy *imperfetto*?

1 Quando _viveva_........ (lei – vivere) a Roma, ... (andare) spesso a passeggiare a Villa Borghese.

2 I bambini .... (mangiare) già, perché .... (avere) fame.

3 Quando .... (noi – essere) piccole, mio zio ci ....

.... (raccontare) sempre storie divertenti.

4 Quest'anno molti turisti tedeschi .... (visitare) Firenze.

7. Uzupełnij zdania odpowiednimi formami czasu *imperfetto*.

1 Mentre _mi vestivo_...... (io – vestirsi), _ascoltavo_...... (ascoltare) la radio.

2 Mentre .... (lui – fare colazione), ... (leggere) il giornale.

3 Mentre ....: (lei – lavarsi), i bambini .... (fare) colazione.

4 Mentre .... (loro – mangiare), ... (guardare) la televisione.

5 Mentre .... (lei – stirare*), ... (ascoltare) la radio.

6 Mentre Luca .... (fare) i compiti, Andrea .... (giocare) nella sua cameretta.

7 Mentre Carlo .... (telefonare), Margherita .... (preparare) la cena.

8 Mentre il professore .... (spiegare) la lezione, gli studenti

.... (prendere) appunti*.

9 Mentre Valentina .... (preparare) i bagagli, Renata .... (prenotare) un taxi per andare alla stazione.

10 Mentre lei .... (pettinarsi), lui .... (farsi) la barba.

* **stirare** prasować; **prendere appunti** robić notatki

8. **Czynności, o których jest tu mowa, nie odbywają się w tym samym czasie. Uzupełnij zdania właściwymi formami czasu przeszłego.**

1 Mentre *frequentavo*.... (io – frequentare) il corso di tedesco, ...

.... (conoscere) tanti studenti stranieri.

2 Mentre .... (lui – fare) la doccia, ... (finire) l'acqua calda.

3 Mentre .... (noi – uscire) di casa, ... (iniziare) a nevicare.

4 Mentre mi .... (stare) addormentando, ... (arrivare) dei miei amici.

5 Mentre .... (io – telefonare) a Teresa, qualcuno ....

.... (suonare) alla porta.

6 Mentre .... (lei – passeggiare) in città, ... (incontrare) sua zia.

7 Mentre .... (lei – asciugarsi) i capelli, ... (andare) via la corrente*.

8 Mentre .... (io – scrivere) la lettera, Pia .... (entrare) nello studio.

9 Mentre .... (lui – essere) in ospedale, ... (ricevere) molte visite di parenti e amici.

10 Mentre .... (loro – discutere), (essere) .... interrotti da una telefonata.

* **la corrente** prąd

20. Czas przeszły *passato remoto*

1. Uzupełnij tabelkę.

	parlare	potere	finire
io	....	....	*finii*............................
tu	....	*potesti*............................	....
lui, lei, Lei	*parlò*............................	....	....
noi	....	....	*finimmo*............................
voi	....	*poteste*............................	....
loro, Loro	*parlarono*............................	....	....

2. „Troszkę historii". Znajdź w diagramie (poziomo i pionowo) osiem czasowników i wstaw je w zdania w czasie *passato remoto*.

```
F S H O(S C O L P I R E)N V E R F N
O S B S E N A U F S C G I J E C E A
N L E A U B S C R I V E R E B R R S
D T S R O D B E L N U M F U R E N C
A C S H D I P I N G E R E E N A S E
R O E L E S E N B E N U B E R R E R
E N R S B L T E R N A R S O C E H E
G A E R U D I C H I A R A R E E E G
```

1 Michelangelo Buonarroti *scolpì*.. il famoso David di Firenze.

2 Dante Alighieri .... a Firenze nel 1265.

3 Diogene .... un famoso filosofo greco.

4 Giuseppe Verdi .... molte opere liriche.

5 Nel 1794 Papa Benedetto XIV .... il Colosseo luogo sacro in ricordo dei martiri cristiani.

6 La leggenda dice che Romolo e Remo .... Roma.

7 Carlo Magno .... il Sacro Romano Impero.

8 Nel 1501 circa Leonardo da Vinci .... la Gioconda.

158

3. Użyj następujących czasowników w czasie *passato remoto*.

> riporre vedere spedire trascorrere andare ✔ attendere
> pubblicare alzarsi venire mettersi cercare

1 Per molti anni *andai* a trovarlo.

2 (loro) .... spesso di farsi aiutare dagli amici.

3 (lei) .... a trascorrere alcuni giorni da noi.

4 In quel luogo (noi) .... giorni molto felici.

5 La signora .... e .... il cappotto.

6 Quella mattina (io) .... tutte e cinque le lettere.

7 Di sera (noi) .... grandi nuvole nere all'orizzonte.

8 Qualche anno fa (lui) .... la sua prima poesia.

9 Giovanna .... molte speranze in quel lavoro.

10 I passeggeri .... con impazienza l'arrivo dell'autobus.

4. Użyj czasowników w czasie *passato remoto*, a następnie połącz zdania.

1 Non *cenò* .... (lui – cenare)con noi   a perché si era rotta la macchina.

2 Non .... (io – andare) in montagna   b perché ti eri distratto.

3 Non .... (loro – venire) all'appunta-mento   c perché soffriva di vertigini.

4 Non .... (io – andare) a scuola   d perché era stato al ristorante.

5 Non .... (noi – guardare) il film   e perché era noioso.

6 Non .... (io – sentire) il campanello   f perché dovevamo studiare.

7 Non .... (tu – ascoltare) l'insegnante   g perché non parlavano italiano.

8 Non .... (lei – leggere) quel libro   h perché ero stanco.

9 Non .... (lui – salire) sulla giostra   i perché ero in giardino.

10 Non .... (loro – capire) nulla   j perché ero malata.

5. „Spotkanie w pociągu". Dwóch przyjaciół spotyka się po dłuższym czasie. Uzupełnij dialog właściwymi formami *passato remoto* lub *imperfetto*.

● Riccardo
▲ Roberto

● Ciao, Roberto.

▲ Ma guarda che sorpresa, sono anni che non ci vediamo.

● Eh sì, dagli anni dell'università.

▲ È vero, ti ricordi quanti bei momenti abbiamo passato insieme?

● Sì, certo e anche le vacanze, specialmente l'ultima, quando ...*decidemmo*....
(decidere) ① di andare in Inghilterra in treno e .... (partire)
② senza avvertire* nessuno.

▲ Poi da Londra .... (telefonare) ③ ai nostri genitori e li
.... (avvertire) ④.

● .... (arrabbiarsi) ⑤ moltissimo, ma poi ....
(calmarsi) ⑥.

▲ Accidenti, come .... (divertirsi) ⑦, ...
(essere) ⑧ una vacanza davvero eccezionale. Ti ricordi, in discoteca
.... (conoscere) ⑨ quelle due tedesche bellissime che
.... (frequentare) ⑩ per tutto il periodo. Sai, con una di loro
sono ancora in contatto. .... (tornare) ⑪ in Germania l'anno
dopo e ora insegna inglese all'università.

● Ti ricordi quella volta che .... (andare) ⑫ tutti insieme al
British Museum? Per sbaglio* .... (avvicinarsi) ⑬ troppo ad
un quadro e improvvisamente .... (scattare) ⑭ l'allarme e
tutti gli agenti .... (precipitarsi) ⑮ su di noi.

* **avvertire** powiadomić; **per sbaglio** przez przeoczenie

.... (volere) ⑯ proprio arrestarci*. Per fortuna

.... (riuscire) ⑰ a spiegare tutto e ....

(lasciarci) ⑱ andare.

▲ Già, ... (essere) ⑲ un'esperienza davvero magnifica. Ma tu che cosa fai ora, dove vivi?

● A Monaco, mi sono trasferito due anni fa per motivi di lavoro. Anzi perché non vieni a trovarmi? Questo è il mio biglietto da visita. Ora devo scendere, ti aspetto!

▲ Ti chiamerò. Ciao!!!

6. *Passato remoto* czy *trapassato remoto*? Wstaw właściwe formy czasu przeszłego.

1 Dopo che *ebbi mangiato*.........., *guardai*...................... la televisione.

2 Non appena .... (lei – chiudere) la porta,

.... (squillare) il campanello.

3 Finché non .... (noi – ricevere) la telefonata, non

.... (prendere) alcuna decisione.

4 Dopo che .... (io – leggere) quel libro, ... (capire) perché era diventato un grande best-sellers.

5 Solo dopo che .... (loro – arrivare) negli Stati Uniti,

.... (decidere) di rimanerci per alcuni anni.

6 Non appena .... (loro – nominare) il nuovo ambasciatore,

.... (esserci) un grande ricevimento.

7 Dopo che .... (io – raggiungere) la casa, ... (scoppiare) un violento temporale.

8 Non appena i ladri .... (uscire) dalla banca, l'impiegato

.... (riuscire) ad avvertire la polizia.

* **arrestare** aresztować

9 Dopo che .... (loro – fare) la passeggiata in montagna,

.... (riposarsi).

10 Dopo che .... (lui – visitare) l'Asia, ...
(decidere) di convertirsi al buddismo.

7. Przetłumacz poniższy tekst. Zastosuj *passato remoto* i *imperfetto*.

Przed kilkoma laty uczęszczałam na kurs języka włoskiego
na uniwersytecie dla obcokrajowców w Perugii. Było tam wielu różnych
studentów, którzy pochodzili z całego świata. Nasi nauczyciele byli
bardzo młodzi i sympatyczni. Kurs trwał już tydzień, gdy przyszła nowa
studentka. Była piękna i pochodziła z Danii.
Nasze spojrzenia natychmiast się spotkały i staliśmy się bliskimi
przyjaciółmi. Spędziliśmy ze sobą całe lato i urządziliśmy wiele wycie-
czek po całym regionie Umbria. Ponieważ ja nie znałem duńskiego,
a ona portugalskiego (mój język ojczysty), byliśmy zmuszeni przez cały
czas rozmawiać ze sobą po włosku. Podczas zakończenia kursu
postanowiliśmy spotkać się ponownie w Umbrii. To nastąpiło już dwa
miesiące później, a po roku pobraliśmy się i przeprowadziliśmy
do Perugii, gdzie kupiliśmy dom i od tamtej pory tam mieszkamy.

....

....

....

....

....

....

....

....

....

....

21. Czasy przyszłe *futuro semplice* i *futuro composto*

1. Uzupełnij tabelkę.

	passare	vedere	finire
io	*passerò*		
tu			*finirai*
lui, lei, Lei		*vedrà*	
noi	*passeremo*		
voi			*finirete*
loro, Loro		*vedranno*	

2. Odpowiedz na pytania, używając wyrażeń w nawiasach.

1 ● Che farai domani?

▲ *Domani andrò in piscina* .   (iść na basen)

2 ● Quando arriverà tua sorella?

▲ .   (jutro)

3 ● Dove sarà la mia patente?

▲ .   (w białej torbie)

4 ● Con chi uscirete stasera?

▲ .   (z angielskimi przyjaciółmi)

5 ● Come mai domani non verrai al concerto?

▲ .   (musieć pracować)

6 ● Quando andrete a cavalcare?

▲ .   (przyszły tydzień)

7 ● A che ora torneranno a casa i bambini?

▲ .   (bardzo niedługo)

3. Wstaw czasowniki w liczbie mnogiej.

1 Lascerò le chiavi nel cassetto.   *Lasceremo le chiavi nel cassetto.*

2 Andrai domani dal dottore?

3 Vi riferirà presto gli ultimi fatti.

4 Verrà presto da te.

5 Ti darà sicuramente una mano.

6 Farai tutto il possibile?

7 Le dirò tutto al mio ritorno.

8 Con un'aspirina starai subito meglio.

9 Tradurrà il testo per domani.

10 Berrò un aperitivo prima di mangiare.

4. Sformułuj odpowiednie pytania do podanych odpowiedzi.

1 ● *A che ora decollerà l'aereo?*
▲ L'aereo decollerà alle 8.00 di mattina.

2 ● ?
▲ Partirò da Colonia alle 16.00.

3 ● ?
▲ Vincerà sicuramente la Ferrari.

4 ● ?
▲ Comprerà una Porsche.

5 ● ?
▲ Li compirà il 4 luglio.

6 ● ?
▲ I suoi genitori festeggeranno le nozze d'oro.

7 ● ?
▲ Gilda comprerà una casa in Sardegna.

8 ● ?
▲ Il semestre estivo finirà a luglio.

5. Zastąp czas teraźniejszy czasem przyszłym.

1 Domani vado in banca a ritirare i soldi.

Domani andrò in banca a ritirare i soldi. ....

2 A che ora ci incontriamo stasera?

....

3 La prossima settimana escono i risultati dell'esame.

....

4 Tra qualche mese ci sono di nuovo le elezioni.

....

5 Stasera vado a pattinare.

....

6 Questa macchina è presto disponibile nella nuova versione sportiva.

....

7 Il problema non è facile da risolvere.

....

6. Części tych zdań zupełnie się wymieszały!
Uporządkuj je.

1 Dopo che avremo finito di studiare	a salutateli da parte nostra.
2 Dopo che avrò mangiato	b metterà in ordine la casa.
3 Appena sarà arrivata in Inghilterra	c mi farò un panino.
4 Non appena li avrete raggiunti	d mi metterò a dipingere.
5 Dopo che sarò tornato dall'università	e telefonerà ai suoi genitori.
6 Appena avrai letto il giornale	f inizierà la Quaresima*.
7 Non appena sarete arrivati a Berlino	g telefoneremo a Grazia.
8 Dopo che avrà finito di vedere il film	h dammelo, per favore.
9 Dopo che saremo andati in piscina	i fatevi sentire.
10 Appena sarà finito il carnevale	j passeremo a trovarti.

* **la Quaresima** Wielki Post

7. Utwórz zdania według podanego wzoru.

1 Luigi – fare colazione – andare in ufficio
Dopo che avrà fatto colazione, Luigi andrà in ufficio.

2 (noi) preparare i bagagli – partire per il Nepal

....

3 Anna – finire di scrivere il libro – andare in vacanza

....

4 Carlo – fare la doccia – comprare il giornale

....

5 (noi) terminare la lezione – prendere la metropolitana

....

6 (tu) laurearsi – potere fare un viaggio

....

7 Sara – trovare un lavoro – comprarsi una macchina

....

8 (lui) finire di leggere – telefonare a Davide

....

9 Franco – frequentare il corso di informatica – sapere usare il computer

....

10 Angela fare le spese – andare a trovare Sabina

....

11 (voi) pranzare – potere fare un pisolino*

....

12 (lei) visitare la fiera – andare a un ricevimento

....

13 (tu) navigare in internet tutta la notte – essere stanco morto*

....

14 Mario e Nadia andare in pensione – trasferirsi in campagna

....

* **il pisolino** drzemka; **stanco morto** śmiertelnie zmęczony

22. Tryb warunkowy

1. Uzupełnij tabelkę.

	restare	vedere	capire
io		*vedrei*	
tu	*resteresti*		
lui, leii			*capirebbe*
Lei			
noi			*capiremmo*
voi	*restereste*		
loro		*vedrebbero*	
Loro			

2. Czy potrafisz uporządkować pomieszane części zdań?

1	Andrebbe volentieri al cinema,	a	ma ho un appuntamento.
2	Comprerebbero una macchina nuova,	b	ma non ce n'erano più all'edicola*.
3	Berrei volentieri qualcosa con te,	c	ma ha paura di volare.
4	Rimarrei volentieri a letto,	d	ma non hanno soldi.
5	Andrebbe volentieri in America,	e	ma fa troppo freddo.
6	Telefonerei volentieri a Paolo,	f	ma è stanca.
7	Andremmo volentieri a passeggiare,	g	ma aspetto una telefonata.
8	Leggerei volentieri il giornale,	h	ma non ho il numero.
9	Ti accompagnerei volentieri,	i	ma la domenica è chiusa.
10	Andrebbe volentieri in palestra*,	j	ma devo andare a lavorare.

* l'edicola *f* kiosk; la palestra fitness club

3. Utwórz zdania według podanego wzoru.

1 partire – necessario – ma – è – non – volere

   Non vorrei partire, ma è necessario.

2 mangiare – piacere – granita – una – mi – caffè – al

....

3 diventare – grande – veterinario – (lui) volere – da

....

4 arrivate – telefonare – quando – vostra – dovere – a – madre

....

5 un – riposo – di – di – proprio – avere – bisogno – po'

....

4. Uzupełnij dialog.

● Maurizio   ▲ Federica

● Ho una sete terribile, *berrei*......... (bere) ① volentieri qualcosa.

▲ .... (potere) ② entrare in questo bar.

● Buongiorno, ... (volere) ③ una birra fresca alla spina.

▲ Io .... (volere) ④ una granita al limone. Non ti ....

   (andare) ⑤ di prendere anche un gelato?

● No, ... (preferire) ⑥ anche io una granita, però al caffè: così

   .... (potere) ⑦ svegliarmi un po', sono così stanco.

▲ Dopo .... (noi – potere) ⑧ andare a vedere la mostra su

   Leonardo, il museo è qui vicino.

● Oh, ottima idea. Lì almeno .... (noi – stare) ⑨ un po' freschi.

   Oggi fa un caldo terribile e alla radio hanno detto che domani la tempera-

   tura .... (dovere) ⑩ raggiungere i 35°.

▲ L'ideale .... (essere) ⑪ andare in piscina, che ne dici?

● D'accordo, ottima idea.

5. Znajdź w diagramie (poziomo i pionowo) osiem czasowników w bezokoliczniku. Następnie uzupełnij zdania odpowiednimi formami trybu przypuszczającego tych czasowników.

```
L S C F A R E B E P I A C E R E F G
E S B S E N A U F D O M P R A R E N
G L V E N I R E M S T E I G E N R E
G T A R O D B E L N U M F U R A N A
E C H H R M I T B R D O V E R E S V
R O R L E S E N B E N U B E R L E E
E N E S S I G Z P R A S T U R O H R
N A P R E P A R A R E V I E L E E E
D E S I D E R A R E B I E R E N N X
```

1 Senza il tuo aiuto non (io) *avrei* mai superato quell'esame.

2 Oh, come mi .... cambiare lavoro!

3 Luca .... tanto avere un cagnolino.

4 .... volentieri a trovarti, ma ho un impegno.

5 A scuola .... impegnarti di più.

6 Lavori troppo, non ti .... male rilassarti un po'.

7 Sono così stanca, mi (tu) .... un caffè?

8 A quanto pare gli italiani .... troppo poco!

6. Napisz zdania w czasie przeszłym.

1 Fa molto caldo, andrei volentieri in piscina.

   Faceva molto caldo, andrei volentieri in piscina.

2 Ha mal di denti, dovrebbe andare dal dentista.

   ....

3 Le daremmo un passaggio, ma la macchina è rotta.

   ....

4 Vorrebbe smettere, però non ci riesce.

   ....

5 Comprerebbe volentieri una moto, ma sua moglie ha paura.

   ....

7. Odpowiedz na pytania według wzoru.

1 ● Perché non l'hai invitato alla tua festa?
(on miał już wyznaczony termin)

▲ *L'avrei invitato volentieri ma era già impegnato.* ....

2 ● Perché non hai chiamato il medico?
(on był na urlopie)

▲ ....

3 ● Perché non siete andati da vostra zia?
(musieliśmy się uczyć)

▲ ....

4 ● Perché non siete andati con il treno?
(był strajk na kolei)

▲ ....

5 ● Perché non ti sei ancora alzato?
(bolała mnie głowa)

▲ ....

6 ● Perché non hai preso la bicicletta?
(był uszkodzony)

▲ ....

7 ● Perché non le hai detto che arrivavo?
(nie spotkałem jej)

▲ ....

8 ● Perché non hai ancora scritto questa lettera?
(nie miałem czasu)

▲ ....

9 ● Perché non le hai comprato le scarpe?
(sklep był zamknięty)

▲ ....

10 ● Perché non sei andato al lavoro?
(jestem chory)

▲ ....

23. Tryb łączący

1. Uzupełnij tabelkę.

	guardare	leggere	sentire
io	....	*legga*	....
tu	....	....	....
lui, lei, Lei	....	....	*senta*
noi	*guardiamo*	....	....
voi	*guardiate*	....	....
loro, Loro	....	....	....

2. Wstaw czasowniki podane w nawiasach w odpowiedniej formie.

1 Credo che *arrivi* .... (arrivare) domani.

2 Pensano tutti che .... (essere) una buona occasione.

3 Suppongo che .... (loro – venire) domani sera.

4 Penso che .... (stare) per arrivare un temporale.

5 Credono che .... (essere) la cosa migliore per lui.

6 Dicono che Luca .... (avere) grandi possibilità di fare carriera.

7 Immagino che tu .... (volere) di nuovo pagare la cena a tutti.

8 Spera che lo .... (loro – informare) il più presto possibile.

9 Temo che .... (avere) proprio ragione lei.

10 Non voglio che tu .... (uscire) con quei ragazzi, non mi piacciono.

11 ● Sai dove è Nicola?

▲ Penso che .... (stare) lavorando.

12 ● Perché ha telefonato Anna?

▲ Vuole che l' .... (tu – aiutare) a traslocare.

3. Odpowiedz na pytania według wzoru.
   Użyj formy *congiuntivo passato*.

1 ● Dove si trova Anna?
   (*poszła na zakupy*)
   ▲ *Credo che sia andata a fare la spesa.*

2 ● Dove è Angelo?
   (*poszedł ze swoją przyjaciółką*)
   ▲ ....

3 ● Dove è Maria?
   (*wyjechała służbowo*)
   ▲ ....

4 ● Dove si trova Vittoria?
   (*wyszła do swojego pokoju*)
   ▲ ....

5 ● Dove è Marco?
   (*poszedł na łyżwy*)
   ▲ ....

6 ● Dove sono Luca e Andrea?
   (*zostali w domu*)
   ▲ ....

7 ● Dove sono i bambini?
   (*poszli na pływalnię*)
   ▲ ....

8 ● Dove sono i tuoi genitori?
   (*poszli na spacer*)
   ▲ ....

9 ● Dove è Emiliano?
   (*został u dziadków*)
   ▲ ....

4. Uzupełnij zdania odpowiednimi formami *congiuntivo presente*.

1 È necessario che tu gli *telefoni*..... (telefonare) subito.

2 È opportuno che Lei .... (fare) un'accurata* visita medica.

3 È inopportuno che si .... (parlare) di lui in sua presenza.

4 È possibile che qui .... (venire) aperta una nuova filiale della banca.

5 È impossibile che .... (esserci) degli egoisti come quelli.

6 È probabile che loro .... (potere incontrarsi) di nuovo.

7 È improbabile che .... (venire) anche lui al matrimonio.

8 Non è sicuro che lui .... (potere) arrivare domani sera.

9 È giusto che tu le .... (raccontare) tutta la verità.

10 È ingiusto che .... (essersi) rivolto a te in quell'occasione.

5. Przetłumacz poniższe zdania.

1 Nauczycielka chce, żeby w klasie mówiono tylko po włosku.
L'insegnante vuole che in classe si parli solo italiano.

2 Mamy nadzieję, że ona zdała egzamin.

....

3 Być może, że oni się pomylili.

....

4 Jest prawdopodobne, że oni tego jeszcze nikomu nie opowiedzieli.

....

5 Moi rodzice chcieli, żebym studiował medycynę.

....

6 Oni się ucieszyli, że ty to sobie kupiłeś.

....

* **accurato** dokładny

173

6. Następujące spójniki wymagają trybu łączącego. Wstaw je we właściwych miejscach.

> affinché ✔ benché sebbene purché prima che nel caso che
> a patto che nel caso in cui come se sebbene

1 La sua famiglia ha fatto di tutto, _affinché_..... lui riuscisse a superare la malattia.

2 ....l'insegnante avesse spiegato bene il congiuntivo, gli studenti sbagliarono gli esercizi.

3 Devo uscire, ... inizi a piovere.

4 .... telefoni, digli che torno stasera.

5 .... fosse molto stanco, continuò il suo lavoro.

6 I dimostranti erano disposti a tutto, ... il governo accettasse le loro richieste.

7 I contadini erano disposti a cambiare il tipo di coltivazione, ... ricevessero maggiori sussidi.

8 .... tutti dicessero che sbagliava, lei continuò a fare di testa sua.

9 Potrebbe venire con noi, ... abbia già finito di mangiare.

10 Si comportò da grande egoista, proprio .... tutto gli fosse dovuto.

7. Napisz poniższe zdania w czasie przeszłym.

1 Non penso che abbia già cinquant'anni.

Non pensavo che avesse già cinquant'anni.

2 Voglio che tu rifletta bene sull'accaduto.

....

3 Ci auguriamo che abbiano ben ponderato la situazione.

....

4 Si pensa che durante le vacanze di Pentecoste molti turisti visitino l'Italia.

....

5 Dubito che riescano a finire in un mese tutti i lavori di restauro.

....

24. Tryb rozkazujący

1. „Kłótnia między mamą i synem". Uzupełnij dialog.

● mamma
▲ Giulio

● Giulio, oggi sono davvero furiosa* con te. Non puoi dormire tutta la giornata!

▲ Ma mamma, sono molto stanco.

● Non mi interessa, sono le 11.00, _alzati_........................... (alzarsi) ①!,

.... (andare) ② a fare colazione e non ....

(bere) ③ solo il latte, ... (mangiare) ④ anche qualcosa!

Dopo .... (rimettere) ⑤ in ordine la tua cameretta e

.... (studiare) ⑥: la prossima settimana hai un esame!

▲ Oh, mamma. Ti prego; tra un po' devo uscire. Ho un appuntamento con un mio amico.

● Non mi interessa. .... (disdire*) ⑦ l'appuntamento e non

.... (uscire) ⑧ finché non avrai fatto tutto quello che ti ho detto!

▲ Oh, come è dura la vita di un figlio!!!

● Non .... (lamentarsi) ⑨ e .... (fare) ⑩ ciò

che devi fare. Anzi, ... (sbrigarsi*) ⑪!

2. Wstaw czasowniki w trybie rozkazującym.

1 Per favore, signori _abbiano_........ (avere) ancora un po' di pazienza!

2 Signora, non .... (arrabbiarsi) con me!

3 Se non vuoi avere problemi, ... (fare) come ti dico io!

---

* **furiosa** zła, wściekła; **disdire** odmówić; **sbrigarsi** pospieszyć się

4 .... (tu – stare) calmo! Non .... (preoccu-parsi)! Vedrai che si risolverà tutto.

5 Andrea, per favore, non .... (dire) più bugie!

6 Ragazzi, un po' di calma, ... (dare) anche agli altri la pos-sibilità di rispondere!

7 Luciano, ti prego, ... (essere) più buono!

8 Marco, ... (dire) ai ragazzi di venire a tavola!

3. Jak brzmią formy grzecznościowe w trybie rozkazującym? Przekształć zdania.

1 Signorina, può scrivere questa lettera?

   Signorina, scriva questa lettera! ....

2 Signore, può parlare più forte? Non La sento bene.

   ....

3 Signorina Rossi, La prego di accomodarsi.

   ....

4 Signora, può telefonare al dottor Mazzi?

   ....

5 Signori, potrebbero mostrarmi i Loro biglietti?

   ....

6 Signora, può accompagnare il bambino dal dottore?

   ....

7 Signorina, può finire il lavoro per domani?

   ....

8 Signore, può chiudere il finestrino, c'è corrente*.

   ....

9 Signora, deve assaggiare questo vino, è buonissimo.

   ....

* **la corrente** *tu:* przeciąg

4. Wyjeżdżasz i zostawiasz przyjaciółce kartkę z różnymi wskazówkami.
Uzupełnij brakujące formy trybu rozkazującego.

Cara Antonella,

questa è la lista con tutte le indicazioni. Per favore, *seguile* ....

(seguirle) ① accuratamente! .... (annaffiare) ② le piante una

o due volte durante la settimana. Mi raccomando, non ....

(annaffiarle) ③ troppo!

Ti prego, ...(venire) ④ tutte le sere e ....

(dare) ⑤ da mangiare al gatto, inoltre .... (essere) ⑥ dolce

con lui, ... (fargli) ⑦ le coccole, così non sente troppo la

mia mancanza. Per quanto riguarda i pesci, non .... (pre-

occuparsi) ⑧, ... (mettere) ⑨ due volte alla settimana un

po' di cibo in polvere nell'acquario. Non .... (esagerare) ⑩,

altrimenti ingrassano! .... (controllare) ⑪ bene, quando esci,

che tutte le finestre siano chiuse.

.... (telefonare) ⑫ in caso di problemi.

A presto, un bacione

Marta

5. Przekształć podane zdania w zdania przeczące.

1 Speditemi una cartolina!   *Non speditemi una cartolina!* ....

2 Datele una mano!   ....

3 Diteci che cosa volete!   ....

4 Prendimi quella giacca, per favore!   ....

5 Trattatelo bene quel vostro amico!   ....

6 Prendila quell'aspirina!   ....

7 Spiegatele tutto!   ....

6. **Uzupełnij dialogi odpowiednimi formami trybu rozkazującego.**

1 ● *Scusi*.......... (Lei – scusare)! Mi sa dire dove è il bar?

▲ Certo, ... (Lei – andare) sempre dritto, poi

.... (girare) a destra.

2 ● .... (Lei – sentire)! C'è un benzinaio qui vicino?

▲ Sì, ... (Lei – girare) a sinistra, poi ....
(procedere) dritto, il benzinaio è sulla destra.

3 ● .... (Voi – sentire)! Dove è la fermata dell'autobus?

▲ .... (Voi – prendere) la prima strada a destra,

.... (andare) fino al semaforo, poi ....
(voltare) di nuovo a destra e lì c'è la fermata.

4 ● .... (Lei – sentire)! Dove possiamo trovare una banca?

▲ .... (Loro – girare) subito qui a sinistra, ...
(camminare) per circa 100 metri. La banca si trova sul lato destro della
strada, accanto a un bar.

5 ● .... (tu – scusare)! Come si arriva a Piazza del Duomo?

▲ Oh, da qui è piuttosto lontano. .... (tu – prendere) la
metropolitana, è proprio dietro l'angolo.

7. **Przekształć podane zdania według wzoru.**

1 Compra a lui il gelato. *Compraglielo!* ....

2 Leggi a me la favola. ....

3 Spedite a lei una lettera. ....

4 Dai a lei una spiegazione. ....

5 Fai a loro una spremuta. ....

6 Dite a noi la novità. ....

7 Offrite a noi un caffè. ....

8 Parla a me dei tuoi problemi. ....

25. Strona bierna

1. Przekształć podane zdania na stronę bierną.

1 Molti tifosi seguono le corse di Formula 1.

Le corse di Formula 1 sono seguite da molti tifosi. ....

2 Ogni anno migliaia di turisti visitano l'Italia.

....

3 Prima o poi costruiranno il ponte sullo stretto di Messina.

....

4 Gli italiani rispettano sempre più l'ambiente.

....

5 Il papà legge tutte le sere una favola al bambino.

....

6 Molti studenti frequentano i corsi d'italiano all'università.

....

7 All'inizio di ogni estate molte auto percorrono le strade in direzione del mare.

....

2. Odpowiedz na poniższe pytania, stosując stronę bierną.

1 Da chi sei stata accompagnata a casa? *(Alberto)*

Sono stata accompagnata da Alberto. ....

2 Da chi Le sono state riferite queste cose? *(adwokat)*

....

3 Da quando è stato scoperto questo vaccino? *(od wielu lat)*

....

4 Da chi sei stata chiamata stamattina? *(mój kolega)*

....

5 A che ora Le è stato recapitato* questo telegramma? *(o godzinie 14)*

....

* **recapitare** doręczać

3. **Przekształć podane zdania na stronę bierną. Zwróć uwagę na czasy.**

1 Giacomo Leopardi scrisse molte poesie bellissime.
Molte poesie bellissime furono scritte da Giacomo Leopardi.
2 Cristoforo Colombo scoprì l'America nel XV secolo.

3 Michelangelo Buonarroti dipinse la Cappella Sistina.

4 H. Melville scrisse nel 1851 il famoso romanzo „Moby Dick".

5 Leonardo da Vinci progettò anche molte macchine belliche*.

6 William Shakespeare scrisse molte commedie e tragedie bellissime.

7 Lorenzo il Magnifico protesse molti artisti.

8 Molti famosi pittori italiani come Giotto e Cimabue affrescarono la Basilica di Assisi.

9 Ludovico II di Baviera fece costruire molti castelli da favola.

10 Salvador Dalì durante la sua vita raccolse molte riproduzioni di opere famose.

* **bellico** wojenny

4. Utwórz zdania w stronie czynnej według wzoru.

1 Da chi ti è stato prestato questo libro?

Chi ti ha prestato questo libro?

2 La notizia dell'attentato è stata annunciata durante il telegiornale.

....

3 I fiori sono stati piantati in giardino da mia madre.

....

4 Spero che le sue azioni verranno capite da tutti.

....

5 Le leggi devono essere osservate da tutti i cittadini.

....

6 Se continuerà a non studiare, verrà sicuramente bocciato.*

....

7 Non vi preoccupate, la cena sarà pronta in un attimo.

....

8 Da chi vi è stato spedito questo pacco?

....

5. Przekształć zdania, używając formy strony biernej z *venire*.

1 La matematica non è capita da tutti.

La matematica non viene capita da tutti.

2 I campionati del mondo di calcio saranno seguiti da molte persone.

....

3 La città fu distrutta da un fortissimo terremoto.

....

4 Il seminario su G. Ungaretti fu frequentato da tanti studenti.

....

5 Molti giocattoli erano regalati dagli zii ai bambini.

....

* **essere bocciato** oblać egzamin

6 Quel programma televisivo è guardato da molti telespettatori.

....

7 Il Presidente fu ricevuto dalla regina con tutti gli onori.

....

8 Il convegno sarà indetto da un'associazione ambientalista.

....

9 Il mare era illuminato dalle lampare* dei pescatori.

....

10 L'esame fu sostenuto da tutti gli studenti con grande successo.

....

6. **Utwórz zdania w stronie biernej, stosując formę strony biernej z *andare*.**

1 Il pacco – spedire – subito

Il pacco va spedito subito.

2 La frutta – mangiare – fresca

....

3 La bolletta del telefono – pagare – subito

....

4 I regali di Natale – comprare – oggi

....

5 La camera – prenotare – domani

....

6 Le rose – potare* – stasera

....

7 Il biglietto – comprare – subito

....

8 Una e–mail – spedire – immediatamente

....

* **la lampara** kuter rybacki używany do nocnego połowu ryb; **potare** przycinać

26. Czasowniki modalne

1. Uzupełnij tabelkę.

	volere	potere	dovere
io	*voglio*		
tu			*devi*
lui, lei, Lei		*può*	
noi	*vogliamo*		
voi			*dovete*
loro, Loro		*possono*	

2. Uzupełnij zdania podanymi w nawiasach czasownikami modalnymi.

1 Non ho *potuto* telefonarti prima, sono *dovuta* uscire. (dovuta, potuto)

2 Non .... mangiare i dolci, ma .... mangiarli ugualmente. (voglio, potrei)

3 Mi scusi, ... farLe una domanda: „Dove ....
trovare la signora Sanni?" (potrei, posso)

4 Se ...., ... dopo cena. (verrò, potrò)

5 Tu .... stare più attento, non .... agire sempre
così affrettatamente. (devi, puoi)

6 Se .... uscire, ... prima studiare. (devi, vuoi)

7 Lucio .... venire a trovarti, ... parlarti urgentemente. (deve, vuole)

8 Quest'anno non .... andare in vacanza, ...
lavorare tutto il mese di agosto. (possiamo, dobbiamo)

9 Domani mattina .... alzarsi molto presto, se non ....
perdere il treno. (vorranno, dovranno)

10 Carla, ... telefonare in segreteria, così ....
sapere il risultato degli esami. (potrai, devi)

3. „Do baru!" Renato i Marta idą do kawiarni i zamawiają coś
do jedzenia. Uzupełnij dialog.

● Renato   ▲ Marta   ■ kelner

■ Che cosa desiderano, signori?

● Io *vorrei...* (volere) ① un caffè.

■ E lei signora, cosa .... (potere) ② portarLe?

▲ Mi porti un cappuccino, poi .... (volere) ③ anche un cornetto.

● Scusi, io .... (dovere) ④ telefonare, c'è un telefono?

■ Sì, certo. È vicino alla cassa, signore.

● Ah, grazie. Senta, anche io .... (volere) ⑤ mangiare qualcosa, mi

.... (potere) ⑥ portare un tramezzino con i funghi?

■ Va bene.

▲ Scusi, ... (potere) ⑦ avere un portacenere?

■ Mi dispiace, signora, ma qui non .... (potere) ⑧ fumare, è vietato.

4. Zastosuj czasowniki modalne w czasie *passato prossimo.*

1 Devo andare a casa.   *Sono dovuto andare a casa.*

2 Voglio telefonare a Sergio.   ....

3 Possiamo partire presto.   ....

4 Volete visitare il museo.   ....

5 I miei amici vogliono venire a trovarmi.   ....

6 La signora Paoli deve prendere l'aereo.   ....

7 Il dottore può prescrivere delle medicine.   ....

8 Le bambine vogliono andare a scuola a piedi.   ....

9 Cristina deve partire per motivi di lavoro.   ....

10 Angela vuole andare a teatro.   ....

27. Bezosobowa forma *si*

1. Przekształć podane zdania w zdania bezosobowe, używając formy *si*.

1 Stasera andiamo al cinema.   *Stasera si va al cinema.* ....

2 Arriviamo a casa alle 10.00.   ....

3 Studiamo le lingue classiche.   ....

4 Si fermano in città.   ....

5 Devono essere puntuali.   ....

6 Si svegliano presto la mattina.   ....

7 A volte devono essere fatti dei compromessi. ....

8 Potevano essere trovate altre soluzioni. ....

9 Ora devono abituarsi a questo ritmo di vita. ....

10 Devono agire più prontamente.   ....

2. Przetłumacz poniższe zdania.

1 Można było uniknąć tej katastrofy ekologicznej.
  Si sarebbe potuta evitare questa catastrofe ambientale. ....

2 Każdego wieczoru zbyt późno chodzi się spać.
  ....

3 Należy się częściej spotykać.
  ....

4 Stawia mu się za dużo pytań.
  ....

5 Nigdy nie należy kłamać. Kłamstwo ma krótkie nogi.
  ....

6 Spotkano się u niego w domu.
  ....

3. Napisz poniższe zdania w czasie przeszłym.

1 Non si può capire il suo atteggiamento.

Non si è potuto capire il suo atteggiamento. ......

2 Da Monaco a Roma si impiegano minimo dieci ore.

......

3 Si inizia a costruire la nuova stazione.

......

4 In quella nazione si usano tecnologie industriali avanzate.

......

5 Si inizia a licenziare il personale di quel negozio.

......

6 Non si nota molto questa differenza.

......

7 Ci si abitua presto a nuove forme di vita.

......

8 Non si sa molto di quella brutta storia.

......

4. Przekształć zdania według wzoru.

1 Uno è molto stanco.   *Si è molto stanchi.* ......

2 Uno si è riposato.   ......

3 Uno non deve mai essere triste.   ......

4 Uno è sempre di fretta.   ......

5 Uno è piuttosto tranquillo.   ......

6 Uno non è molto interessato.   ......

7 Uno beve troppo alcol.   ......

8 Uno non si sente solo.   ......

9 Uno è annoiato.   ......

10 Uno si è divertito molto.   ......

28. Mowa zależna i niezależna

1. Przekształć mowę niezależną na zależną.

1 Luca dice: „Voglio un cagnolino".
Luca dice che vuole un cagnolino.

2 Sara e Carlo chiedono: „Ci prestate la macchina stasera?"

3 Carola conclude: „Vado a casa, perché sono stanca".

4 Piero afferma: „Appena finisco di lavorare vengo volentieri".

5 Andrea dice: „Odio i maglioni di lana".

6 Il metereologo dice: „Domani farà bel tempo".

7 Il ministro afferma: „Verranno stanziati* più soldi per la ricerca".

2. Przekształć zdania z mowy zależnej na niezależną.

1 Susanna dice che vuole andare alla festa.
Susanna dice: „Voglio andare alla festa."

2 Michele dice che quando legge vuole stare comodo.

3 Il giornalista afferma che domani ci sarà lo sciopero dei benzinai.

4 Il medico dice che il fumo mi fa molto male.

5 Il direttore dice alla segretaria di telefonare all'ingegner Mori.

* **stanziare** przygotować

3. Przekształć podane zdania na mowę zależną.

1 La ragazza disse: „Il fine settimana andrò al mare con gli amici".
La ragazza disse che il fine settimana sarebbe andata al mare con
gli amici.

2 L'uomo aggiunse: „Se non fosse perché ho bisogno di soldi, cambierei lavoro".

3 Affermava sempre: „Non ti preoccupare, io ti aiuterò".

4 Luigi rispose: „Ti chiamerò appena sarò arrivato a casa".

5 Claudia disse: „In caso di ritardo, ti telefonerei".

6 Lei ripete sempre: „Bambini, non siate cattivi".

4. Przekształć zdania z mowy zależnej na niezależną.

1 Alessia disse che era appena arrivata e che si sarebbe fermata solo qualche giorno.
Alessia disse: „Sono appena arrivata e mi fermerò solo qualche giorno".

2 I ragazzi affermarono che erano tornati dalle vacanze, perché avevano finito tutti i soldi.

3 Angela mi disse di telefonare a Matteo e chiedergli se volesse venire a cavalcare.

4 La segretaria asserì che l'esame poteva essere sostenuto all'inizio di ottobre.

5 Nicoletta disse che quella sera aveva preso freddo e di conseguenza si era ammalata.

29. Zdania warunkowe

1. Wstaw czasowniki we właściwej formie. Zastosuj czas teraźniejszy (warunek realny).

1 Se *sei*........ stanco, *vai*........ a letto.

2 Se .... (nevicare), non .... (io – andare) a passeggiare.

3 Se non .... (Lei – sbrigarsi), ... (perdere) l'autobus.

4 Se .... (voi – bere) così tanti caffè, ... (innervosirsi) troppo.

5 Se .... (tu – venire) a trovarmi, ti .... (raccontare) le ultime novità.

6 Se .... (noi – partiamo) subito, non .... (trovare) sicuramente traffico.

7 Se .... (tu – andare) in città, dimmelo che .... (io – venire) con te.

8 Se .... (voi – tornare) in tempo, ... (noi – mangiare) insieme.

9 Se questo libro ti .... (piacere), te lo .... (regalare).

10 Se .... (lui – avere) la febbre, ... (dovere) rimanere a letto.

2. Uzupełnij zdania odpowiednimi formami czasu przyszłego (warunek realny).

1 Se il prossimo anno *riusciranno*... a risparmiare abbastanza, *compreranno* una cucina nuova.

2 Se a Natale .... (noi – avere) un po' di ferie,

.... (andare) a sciare.

3 Se mi promette che .... (lui – guidare) piano,

.... (io – andare) in macchina con lui.

4 Se il governo .... (ottenere) la fiducia del Parlamento,

.... (potere) governare fino alle nuove elezioni.

5 Se il prezzo della benzina .... (continuare) ad aumentare,

gli automobilisti .... (lasciare) le loro macchine a casa.

6 Se la prossima settimana .... (io – essere) ancora malata,

.... (andare) dal dottore.

7 Se .... (loro – essere) buoni, li ....

(lei – portare) al parco.

8 Se .... (voi – volere), ... (potere) usare la

mia macchina.

9 Se .... (tu – studiare) di più, ... (riuscire) a

preparare più esami.

3. **Uzupełnij zdania czasownikami we właściwej formie (warunek nierealny).**

1 Se non *avessi dovuto* .... studiare, *sarei andata* .... volentieri alla festa.

2 Se non .... (noi – partire) in tempo, ...

.... (trovare) la strada bloccata dai dimostranti.

3 Se .... (lui – avere) più tempo, ...

(rimanere) qualche giorno in più a Roma.

4 Se Pino .... (ascoltare) più spesso i suoi consigli,

.... (trovarsi) meglio nella vita.

5 Se non .... (lei – prendere) l'ombrello, ...

.... (bagnarsi) completamente.

6 Se .... (lei – comportarsi) sempre in modo più leale,

la .... (loro – stimare) maggiormente.

7 Se gli esercizi di matematica non .... (essere) così

complicati, ... (lui – finire) più in fretta i compiti.

8 Se non .... (lui – avere) un altro impegno, ti

.... (accompagnare) volentieri all'aeroporto.

30. Przyimki

1. „Rozmowa telefoniczna". Dwie przyjaciółki rozmawiają przez telefon. Uzupełnij dialog brakującymi przyimkami.

● Anna
▲ Carla

● Pronto? Ciao Carla, sono Anna. Come stai? Che cosa hai fatto ieri _di_...... ① bello?

▲ Ciao Anna, che piacere sentirti Ieri? .... ② mattina sono stata .... ③ casa, ho pranzato .... ④ i miei genitori, poi tutti insieme siamo andati .... ⑤ trovare mia nonna .... ⑥ campagna. E tu che cosa hai fatto?

● .... ⑦ 9.00 sono andata .... ⑧ piscina con Luigi. .... ⑨ pranzo poi siamo andati .... ⑩ un ristorante lì vicino e .... ⑪ sera siamo stati .... ⑫ cinema.

▲ È stata sicuramente una bella giornata.

● Sì, davvero molto piacevole*. Che ne dici .... ⑬ trascorrere il prossimo fine settimana insieme?

▲ Sì, buona idea. Hai già .... ⑭ mente qualcosa?

● Luigi ed io vorremmo andare .... ⑮ mare. I suoi genitori hanno una villetta .... ⑯ San Felice Circeo. Potresti venire .... ⑰ il tuo ragazzo.

▲ Oh, grazie .... ⑱ l'invito. Lo dirò .... ⑲ Giorgio e poi ti richiamo domani.

● D'accordo, ... ⑳ domani, ciao.

▲ Ciao, ... ㉑ presto.

---

* **molto piacevole** bardzo przyjemny

2. Przetłumacz poniższe zdania.

1 Jutro muszę pojechać do Mediolanu.

Domani devo andare a Milano.

2 Chodzisz do szkoły pieszo czy jeździsz autobusem?

3 Niemożliwe jest nauczenie się języka w dwa miesiące.

4 W ostatnich dniach spotkałam niewielu przyjaciół.

5 Od dziesięciu lat żyję w tym samym kraju.

6 On zawsze smaruje sobie włosy żelem.

3. Uzupełnij tabelkę.

	la	le	il	i	lo	gli
di	_della_			_dei_		
a			_al_			_agli_
da		_dalle_			_dallo_	
in				_nei_		_negli_
su	_sulla_		_sul_			

4. Wstaw właściwe przyimki i rodzajniki.

1 Sandro arriva oggi _dall'_......Italia.

2 Non ti avevo visto, ma ti ho riconosciuto .... voce.

3 La situazione finanziaria .... sua famiglia non è .... migliori.

4 Il naufrago trascorse tre giorni .... barca in balia .... onde, ma poi fu salvato.

5 Se Andrea non si sbriga ad andare .... aeroporto, perderà l'aereo.

6 La maturità di una persona aumenta .... corso .... anni.

7 .... cassetto ho ritrovato .... antiche foto di famiglia.

8 Il mercatino .... antiquariato si svolge sempre l'ultima domenica .... mese.

9 .... parchi inglesi ho sempre visto molti scoiattoli.

10 Ha aspettato con molta impazienza l'arrivo .... suoi amici.

5. *Di* czy *da*? Uzupełnij zdania.

1 Antonella e Roberto hanno comprato una camera *da*.... letto.

2 Susanna sabato sera andrà a ballare e indosserà il suo nuovo vestito .... sera.

3 Questo pullover .... lana è davvero molto morbido.

4 Quel ragazzo .... capelli biondi è un caro amico .... Luca.

5 Quello è un orologio .... grande valore.

6 Sono andati a vivere in una città non lontana .... nostra.

7 Quel tavolo è .... legno massiccio.

8 Fu morso .... una vipera durante un'escursione.

6. *In* czy *a*? Uzupełnij zdania.

1 *In*.... America convivono molte culture diverse.

2 Lo scorso anno è andato tre volte .... Parigi.

3 Molti turisti tedeschi si recano .... vacanza .... Toscana.

4 La Repubblica di San Marino si trova .... Italia ma è uno stato indipendente.

5 Il convegno si terrà .... Firenze tra il 20 e il 30 maggio.

6 Sto uscendo, sto andando .... ufficio.

7 Letizia si è trasferita, ora non abita più .... Via Verdi.

7. **Uzupełnij zdania przyimkami *con* i *su*.**

1 Ha preso in affitto un appartamento *con* .... un'amica.

2 Hanno superato .... grande maestria* quel difficile esame.

3 Che sbadato*, devo aver di nuovo lasciato le chiavi .... scrivania.

4 Francesco si arrampicava .... alberi già a due anni.

5 .... il passare degli anni il suo carattere si è addolcito.

6 La sua forte personalità lo fa sempre dominare .... tutti.

7 Vedi quella casa .... le finestre chiuse? È lì che andremo ad abitare.

8 Poggia* tutto .... tavolo e non ti preoccupare!

9 Abbiamo prenotato una camera con vista .... mare.

8. **Uzupełnij zdania przyimkami *per* i *tra/fra*.**

1 *Fra* .... due mesi andrò in vacanza in Messico.

2 Ho aspettato .... un'ora la coincidenza del treno.

3 È davvero triste, ma .... Maria e Salvatore non c'è più dialogo.

4 .... fortuna sono arrivati! Stavo iniziando a preoccuparmi.

5 .... gli animali in via d'estinzione ci sono alcune specie che vengono cacciate di frodo*.

6 Impiega ogni giorno due ore in macchina .... andare a lavorare.

7 Vieni! È .... te. Ti vogliono al telefono.

8 Che cos'hai in programma .... domani?

9 .... quella gente c'è anche mia sorella.

10 Il pacco arriverà .... due o tre giorni.

* **la maestria** *tu:* brawura; **sbadato** roztargniony; **poggiare** kłaść, stawiać; **cacciare di frodo** kłusować

31. Spójniki

1. **Połącz poniższe zdania i uzupełnij brakujące spójniki.**

tuttavia	anzi	e ✔	cioè (x 2)	invece	perciò	o	ne … ne	eppure

1 Prima ha scritto la lettera   `c`

2 Il mare era molto mosso,   ☐

3 Non ha assolutamente ascoltato i suoi consigli   ☐

4 L'aereo arriverà tra due ore   ☐

5 Pensavo che la macchina fosse tua   ☐

6 La temperatura esterna era piuttosto bassa   ☐

7 Vorrei una camicetta da bambina   ☐

8 Vieni subito con noi   ☐

9 Ti sbagli, non è   ☐

10 È una persona buona e altruista   ☐

a ………… avrei giurato che fosse un grande egoista.

b ………… ha indossato un maglione pesante.

c *e*………… poi l'ha imbucata. ✔

d ………… per una bambina di dieci anni.

e ………… ha deciso di fare il bagno.

f ………… malato stanco, è solo pigro*.

g ………… ha fatto esattamente il contrario.

h ………… vai con loro più tardi?

i ………… mi sono sbagliato, è di Mario.

j …………, più precisamente, alle 21.30.

* **pigro** leniwy

2. **Wstaw odpowiednie spójniki zdań czasowych.**

> quando appena ✔ prima che dopo che finché

1 _Appena_............ lo incontri digli di telefonarmi.

2 Serena è proprio testarda! Insiste .... non ottiene ciò che vuole.

3 .... furono ritornati dalle vacanze, diedero una grande festa.

4 .... hai telefonato, lei era già uscita.

5 .... tu lo venga a sapere da altri, te lo dico io.

6 Non .... guarirai faremo una gita in barca.

7 .... decidete di uscire avvertitemi, così vengo con voi.

8 Non riuscirà a risolvere il problema, ... non si impegnerà di più.

9 .... fu uscita di casa, si accorse di aver lasciato le chiavi dentro.

10 Si addormentò .... il film terminasse.

3. **Niestety, poniższe zdania rozsypały się. Poskładaj je poprawnie.**

1 stato – poiché – male – notte – andato – lavorare – a – non – questa – tutta
– è – mattina – la – è

Poiché è stato male tutta la notte, questa mattina non è andato ....

a lavorare. ....

2 situazione – siccome – grave – deciso – comune – la – risanarlo – quartiere
– molto – del – di – è – degrado – il

....

3 non – dato – pensato – telefonare – cellulare – che – arrivavi – di – sul –
dove – per – eri – sapere – ho

....

4 tutta – perché – ha – riusciva – la – dormire – letto – non – a – notte

....

5 occhiali – mise – potesse – affinché – meglio – gli – leggere

....

Klucz do ćwiczeń

1. Rzeczownik

1

rodzaj męski: bambino, cane, libro, albergo, colore, tema, strumento, ospedale, esercizio, fiume
rodzaj żeński : casa, bugia, tigre, persona, chiave, strada, barca, ciliegia, tavola, regione

2

ragazzi, peschi, meccanici, fiori, banchi, viaggi, cataloghi, medici, errori, biglietti, amici, alberghi

3

arancia, zia, farmacia, spiaggia, casa, chiesa, provincia, camicia, svizzera, bambina, collega

4

1 temi; 2 problemi; 3 diploma; 4 teoremi; 5 tennista; 6 colleghi; 7 astronauta; 8 poeti

5

collega, collega; belga, belga; negoziante, negoziante; nipote, nipote; insegnante, insegnante; pianista, pianista

6

1 scrittore, scrittrice; 2 dottore, dottoressa; 3 professore, professoressa; 4 duca, duchessa; 5 attore, attrice; 6 studente, studentessa; 7 profeta, profetessa
Szukanym regionem Włoch jest „Toscana".

7

1 a. il pianto, b. le piante; 2 a. un palmo, b. palme; 3 a. una bilancia, b. il bilancio; 4 a. la balena, b. un baleno; 5 a. il posto, b. la posta; 6 a. marche, b. il marco

2. Rodzajnik określony i nieokreślony

1

la casa, la gente, la radio, la città, la libertà, la mano
l'amica, l'acqua, l'olandese, l'aranciata
le colleghe, le tazze, le fotografie, le radio (*l.mn.*), le città (*l.mn.*), le tigri, le libertà (*l.mn.*), le amicizie

2

il nome, il re, il tema, l'amico, lo sconto, i castelli, i cantanti, i laghi, l'uovo,
gli inglesi, i coltelli, il cesto, gli anni, lo sbaglio, i giornali, lo studente, il libro,
il giornalista, lo xilofono, gli olandesi

3

le camicie, le barche, le amiche, le cassette, le lampade
i quaderni, i fiori, i bar, i cani, i pesci
gli uomini, gli stranieri, gli alberghi, gli errori, gli yogurt

4

una grammatica, un dizionario, un'ora, un'agenzia, uno svizzero, un vestito,
una moneta, uno scherzo, una lettera, una spesa, uno gnomo, una gonna

5

1 gli; 2 –, –; 3 la; 4 – . 5 –, il

6

1 una; 2 un; 3 un; 4 un; 5 un; 6 un; 7 una; 8 i; 9 lo; 10 il; 11 gli; 12 il; 13 un;
14 la; 15 uno; 16 il; 17 l';18 i; 19 la; 20 un; 21 il; 22 il; 23 Il tiramisù.

3. Rodzajnik cząstkowy

1

1 dei; 2 delle; 3 dei; 4 dei; 5 dei; 6 degli; 7 dei; 8 delle; 9 delle; 10 degli

2

1 Abbiamo bevuto delle aranciate. 2 Abbiamo mangiato delle pizze.
3 Avete fumato delle sigarette! 4 Hanno comprato dei libri.
5 Abbiamo incontrato degli studenti. 6 Preferiamo dei caffè.
7 Avete fatto degli sbagli. 8 Ci prestate delle matite?
9 Avete visto dei film al cinema. 10 Le abbiamo fatto dei regali.

3

1 degli; 2 degli; 3 dell'. 4 dei; 5 delle; 6 delle; 7 del; 8 dell'; 9 della; 10 dell'

4

1 un; 2 un; 3 un; 4 le (*lub:* delle); 5 una; 6 dei; 7 dei; 8 un; 9 i; 10 la

4. Zaimki akcentowane w funkcji dopełnienia

1

```
E S A U S G E B E N S E T E E R F G
E S B S E N A U F S C H R E I B E N
G L F A U B M E M S T E I G E N R L
N T N R O D B E L N U M F U R A N U
S C O H R M I T B V O I G E N E S I
B O I L E S E N B E N U B E L L E G
E N E S S I G Z L E I R N A O H H I
N A N R U F E N E I N V I E R E E G
R U S S E A N P R O B I E R O N N X
```

2

1 Vado con lui. 2 Vengo con voi. 3 Vado da lei. 4 Abita da noi.
5 Andiamo con loro. 6 Sono per lui. 7 L'ho spedita a lei. 8 Ha fiducia in me.
9 L'hanno dato a lei. 10 È per te. 11 Telefono a lei. 12 Ho domandato a loro.

3

1 Oggi ceno con loro. 2 Preparerò l'esame con lei. 3 Andrai con lui a Perugia?
4 A loro piace fare sport? 5 Hai comunicato anche a lui la novità?
6 Giovedì vado a pranzo da lei.

4

1 me, lui; 2 te; 3 lei; 4 Lei; 5 loro; 6 loro; 7 lei, te; 8 me; 9 te; 10 loro

5. Zaimki nieakcentowane w funkcji dopełnienia

1

R	Z	L	U	F	L	E
D	E	O	C	L	A	Q
M	A	E	B	S	A	S
I	M	N	L	E	C	I
S	T	U	I	P	N	T
E	I	Z	D	V	I	H

2
1 Carla lo legge. 2 lo non la firmo. 3 Sandra mi invita al ristorante.
4 Chi li cucina? 5 Ti capisco quando parli italiano. 6 Ci invitano tutti i fine
settimana. 7 Il professore vi interroga a lungo. 8 Le aspettiamo.
9 Li avete puliti? 10 Le hai ascoltate?

3
1 la; 2 ti; 3 lo; 4 Mi; 5 lo; 6 li; 7 l'. 8 l'. 9 Le; 10 l'

4

L	E	H	M	P	E	Q
B	E	G	I	O	C	I
T	Q	L	E	M	C	O
I	R	I	A	L	N	I
R	T	F	I	C	V	V
L	O	R	O	S	Q	I

5
1 Le piace la musica. 2 Quando gli telefoni? 3 Mi serve un'auto più veloce.
4 Che cosa hai detto loro?(*lub:* Che cosa gli hai detto?) 5 Le scrivo una
lettera. 6 Quando ci racconti ... ? 7 Vi confido .... 8 Ti nasconde tutta ....
9 Gli ho regalato un maglione.

6
1 Vi telefono domani. 2 Ho detto loro di venire. (*lub:* Gli ho detto di venire.)
3 Ho raccontato loro .... (*lub:*. Gli ho raccontato ....) 4 Scusi, ci spiega dove è
la stazione? 5 Ci chiediamo .... 6 Ho detto loro di uscire. (*lub:* Gli ho detto di
uscire.) 7 Vi dispiace .... 8 Ci hanno prestato .... 9 Vi ho fatto ....
10 Ci ha descritto ....

7
1gli; 2 mi; 3 gli; 4 Loro, (*lub:* Signori, Vi consiglio...). 5 ti; 6 Ti; 7 Le; 8 vi; 9 le;
10 mi; 11 ci; 12 vi

8
1 Sì, mi piace molto. 2 No, non ci scrivono mai. 3 Sì, mi interessa molto.
4 No, gli telefono domani. 5 Sì, le ho telefonato ieri.

9

1 Lo aiuto. 2 Le hai già telefonato? 3 Gli ha già chiesto tutto. 4 Che cosa le hai risposto? 5 Lo accompagni fino alla porta? 6 Non ci ha informati. 7 Signora Nowak Le telefono domani. 8 La vedo ogni pomeriggio. 9 Gli scolari l'hanno ascoltata attentamente. 10 Ti ringrazio.

6. Partykuły zaimkowe *ci* i *ne*

1

1 – c; 2 – h; 3 – f; 4 – b; 5 – e; 6 – d; 7 – a; 8 – g

2

1 ne, Ci, star<u>ci</u>, Ci, ne, Ne, Ci
2 ci, andar<u>ci</u>
3 ne, ne, ne, andar<u>ci</u>

3

1 Ci andiamo domani. 2 Ci vengo domenica. 3 Ci vengo io. 4 Ci vengo volentieri. 5 Ci andiamo alle 16.00. 6 Ci sto bene. 7 Ci veniamo volentieri. 8 Ci rimango una settimana. 9 Ci sono andata ieri. 10 Ci tornerò presto.

4

1 farci; 2 ne posso; 3 ci capisco; 4 Ne vale; 5 se ne sta; 6 ci hanno ricavato; 7 ne sa; 8 se ne è andata

5

1 <u>ci</u> ho pensat<u>o</u>; 2 <u>Ci</u> sono andat<u>a</u>; 3 <u>Ne</u> ho fumat<u>e</u>; 4 <u>ci</u> abbiamo pensat<u>o</u>; 5 <u>Ne</u> ho spedit<u>e</u>; 6 <u>Ci</u> siamo andat<u>i</u>; 7 <u>ci</u> ho credut<u>o</u>; 8 <u>ne</u> abbiamo fatt<u>o</u>; 9 <u>ne</u> sono piaciut<u>e</u>; 10 <u>Ne</u> ho riservat<u>i</u>

7. Dwa dopełnienia wyrażone zaimkiem

1

	la	le	lo	li	ne
mi	me la	me le	me lo	me li	me ne
ti	te la	te le	te lo	te li	te ne
le gli Le	gliela	gliele	glielo	glieli	gliene
ci	ce la	ce le	ce lo	ce li	ce ne
vi	ve la	ve le	ve lo	ve li	ve ne
gli loro	gliela	gliele	glielo	glieli	gliene

2
1 Sì, gliel'ho già offerto. 2 Gliel'ho consegnata ieri.
3 Me ne restano tre. 4 No, non te li posso prestare.
5 Te la restituiamo la settimana prossima.
6 No, non ve l'ho ancora preparata.
7 Ce ne siamo accorti poco fa.

3
1 (lo) gliel'ho già detto. 2 Me le puoi prestare? 3 Hai tu i suoi giocattoli, me li potresti ridare? 4 Mamma, per favore, comprameli! 5 Diglielo, ti capirà!
6 Gliel'hai già raccontato? 7 Te l'hanno già chiesto? 8 Cosa pensi? Ce li potremmo comprare? 9 Il professore ce l'ha spiegato molto chiaramente.
10 Quel vestito è veramente bello. Dovresti comprartelo!

4
1 Non te l'ha detta. 2 Non ve l'ha ancora consegnato. 3 Gliel'hai già letta?
4 Gliel'avete già ordinata? 5 Non gliel'hanno ancora preparata.
6 Gliele avete già fatte vedere?

5
1 Gliel'hai già comprata? 2 Chi ve l'ha consigliato?
3 Quando te le hanno spedite? 4 Glieli hai consegnati?

6
1 – e; 2 – f; 3 – j; 4 – c; 5 – h; 6 – b; 7 – d; 8 – a; 9 – g; 10 – i

8. Zaimki wskazujące

1
1 questa, quella; 2 questi, quegli; 3 queste, quelle; 4 questa, quella (*lub:* quell'); 5 questo, quel; 6 queste, quelle; 7 questa, quella; 8 questo, quel; 9 questo, quell'. 10 questi, quegli

2
1 quell', g; 2 quel, d; 3 quella, b; 4 quel, i; 5 quei, j; 6 quella, a; 7 quegli, c; 8 quel, e; 9 quelle, f; 10 quell', h

3
1 questa, stesse; 2 medesime; 3 „Codesto". 4 stesso; 5 stesso; 6 Colui; 7 medesima; 8 Quei; 9 stesso

4
1 questo, quello; 2 quell', Questo; 3 quegli, Quelli, quelli; 4 questa, quella, questa; 5 Quel, Quello, quello

9. Zaimki dzierżawcze

1

la mia	le mie	il mio	i miei
la tua	le tue	il tuo	i tuoi
la sua	le sue	il suo	i suoi
la nostra	le nostre	il nostro	i nostri
la vostra	le vostre	il vostro	i vostri
la loro	le loro	il loro	i loro

2
1 Il suo libro .... 2 La sua macchina.... 3 Le sue scarpe .... 4 I suoi genitori.... 5 Il suo orologio.... 6 La sua valigia.... 7 Il suo cane .... 8 I suoi mobili....

3
1 Le mie sorelle vivono in Italia. 2 Le mie zie abitano a Roma. 3 I miei nonni sono anziani. 4 Le mie cugine sono molto carine. 5 I miei nipoti sono vivaci. 6 Le mie cognate sono straniere.

4
1 Come si chiama Suo marito? 2 Va ancora a scuola Sua figlia? 3 Dove è la tua borsa? 4 È italiana la Sua famiglia? 5 Quando arriva la tua nuova macchina? 6 Sono sul tavolo i Suoi occhiali? 7 Trascorri le feste con la tua famiglia? 8 È sposato tuo fratello? 9 Dove abitano le Sue amiche? 10 È numerosa la tua famiglia?

5

1 Ti piacciono i miei occhiali? 2 Mio fratello è andato in America. 3 Il nostro lavoro è veramente interessante. 4 La mia sorella maggiore è sposata da un anno. 5 Ieri sono andato a trovare i miei amici e ho visitato la loro nuova casa. 6 Ciro ha lasciato la sua città, perchè lì non trovava lavoro. 7 I soci della società non erano d'accordo con la sua proposta. 8 Signor Professore, i Suoi libri sono sul tavolo. 9 Suo padre è un famoso giornalista. 10 I nostri figli hanno sette e quattro anni. 11 Conosci la loro madre? 12 Tuo padre ha chiamato oggi.

6

1 le mie; 2 tuo; 3 la mia; 4 i suoi; 5 la sua; 6 sul suo; 7 la tua; 8 nella mia

10. Zaimki nieokreślone

1

1 – h; 2 – g; 3 – e; 4 – i; 5 – a; 6 – c; 7 – j; 8 – d; 9 – f; 10 – b

2

1 certa; 2 Qualsiasi; 3 qualche; 4 ogni; 5 Qualunque; 6 Ogni; 7 Certa; 8 qualsiasi; 9 qualche; 10 Qualunque

3

1 – Z; 2 – P; 3 – Z; 4 – Z; 5 – P; 6 – Z; 7 – Z; 8 – P

11. Zaimki i przysłówki pytające

1

1 – f; 2 – i; 3 – a; 4 – j; 5 – b; 6 – c; 7 – e; 8 – g; 9 – d; 10 – h

2

1 Chi; 2 che; 3 Quanto; 4 quando; 5 Quale (*lub:* qual); 6 Dove; 7 Come; 8 Che cosa; 9 Perché; 10 Quanti; 11 chi; 12 Perché; 13 che

3

1 Dove andate domani? 2 Che cosa prende? (*lub:* Che cosa prendi?) 3 A che ora aprono i negozi la mattina? 4 Quando mi telefoni? 5 Dove andate questa sera? 6 A chi stai telefonando? 7 Quante persone hai invitato?

4

1 Con chi parlavi prima? (*lub:* Con chi hai parlato prima?) 2 Che cosa ti è accaduto? (*lub:* ...ti è successo?) 3 Di che cosa ha parlato oggi il professore? 4 In che anno è nata? 5 Quale (*lub:* qual) è il tuo numero di telefono? 6 Come ti chiami? 7 Che ora è? (*lub:* Che ore sono?)

12. Zaimki względne

1

1 Quel ragazzo che è sulle scale è mio fratello. 2 Il libro che è nella borsa è di Paola. 3 La macchina che è parcheggiata qui davanti è di Luigi. 4 Il treno che è sul binario 3 va a Monaco. 5 Mario, mi puoi restituire il libro che ti ho prestato ieri? 6 Ho incontrato un tuo amico che mi ha pregato di salutarti. 7 Ieri ho incontrato degli amici che non vedevo da tanto tempo. 8 Non conosciamo la famiglia che abita nella nuova casa. 9 Gli studenti che sostengono l'esame sono numerosi.10 I fiori che ha ricevuto Maria sono molto belli.

2

1 Chi; 2 che; 3 Chi; 4 che; 5 chi; 6 che; 7 Chi; 8 che; 9 Chi; 10 che

3

1 con cui; 2 di cui; 3 a cui; 4 in cui; 5 tra cui; 6 su cui; 7 per cui; 8 da cui; 9 su cui; 10 tra cui; 11 in cui; 12 tra cui; 13 da cui; 14 tra cui

4

1 dal quale; 2 con il quale; 3 della quale; 4 alla quale; 5 delle quali; 6 nella quale; 7 per il quale; 8 alla quale

5

1 in cui (*lub:* nel quale); 2 che; 3 con la quale (*lub:* con cui); 4 che; 5 sulla quale (*lub:* su cui); 6 in cui (*lub:* nel quale); 7 che; 8 con cui (*lub:* con la quale)

13. Przymiotnik

1

la casa spaziosa; il professore gentile; le mani piccole; la penna stilografica; i bambini diligenti; la pizza saporita; i treni puntuali; i pesci colorati

2

1 – b; 2 – h; 3 – e; 4 – i; 5 – d; 6 – c; 7 – j; 8 – g; 9 – a; 10 – f

3

1 la nuvola grigia; 2 l'orologio preciso; 3 il mobile moderno; 4 lo straniero ricco; 5 la studentessa straniera; 6 l'animale feroce; 7 il bar italiano; 8 la macchina veloce; 9 il film interessante

4
1 Il programma è interessante. 2 Le piante sono verdi. 3 La lezione è noiosa.
4 La bottiglia è piena. 5 Lo studente è tedesco. 6 Il ristorante è caro.
7 Il vestito è elegante. 8 Il corso d'italiano è difficile. 9 Le valigie sono molto
pesanti. 10 La frutta è matura. 11 Il mio maglione nuovo è rosso.
12 Il romanzo è bello.

5
1 (Io) ho una macchina tedesca. 2 (Noi) abbiamo un cane piccolo. 3 Benigni è
un attore italiano. 4 Paolo abita in quella casa grande. 5 In estate i prati sono
molto verdi. 6 Loro sono ricchi, hanno molti soldi. 7 La loro camera da letto è
molto luminosa. 8 Andrea è un bambino molto furbo. 9 Queste foto sono belle.
10 Oggi il tempo è brutto, piove.

6
1 bel; 2 belle; 3 quel; 4 bei; 5 quell'. 6 bella; 7 bell'. 8 quella; 9 Quegli; 10 bella

7
1 scorso; 2 meravigliose; 3 grande; 4 ricco; 5 naturali; 6 molte; 7 antichi;
8 greci; 9 normanni; 10 barocchi; 11 magnifici; 12 affascinanti; 13 cordiale;
14 aperta; 15 ospitali; 16 fresche; 17 rinomata; 18 particolare; 19 profumati;
20 unica

14. Przysłówek

1
1 cortesemente; 2 leggermente; 3 naturalmente; 4 raramente;
5 personalmente; 6 veramente; 7 erroneamente; 8 urgentemente;
9 lungamente; 10 caldamente

2
1 La incontro molto raramente. 2 Ieri sera ho mangiato veramente bene.
3 Rosa è una ragazza davvero simpatica. 4 Oggi è una giornata molto bella.
5 Quel libro è veramente interessante. 6 Andrea dice sempre cose molto
divertenti. 7 Ieri ho dimenticato il tuo compleanno, scusami.

3
1 Anche; 2 Ieri; 3 più; 4 sempre; 5 attentamente; 6 bene; 7 più; 8 troppo;
9 molto bene

4
1 attentamente; 2 eleganti; 3 buona; 4 veramente; 5 stanchi; 6 felicemente;
7 originale; 8 urgente; 9 urgentemente; 10 luminosa

5
1 È molto tardi. 2 Giulia è molto cagionevole, è continuamente malata.
3 L'inflazione è aumentata leggermente. 4 I miei bambini non vanno mai a letto
presto. 5 (Lei) Parla molto bene quattro lingue. 6 E ora, andiamo a fare una
passeggiata? 7 Vengo subito! 8 Che cosa hai fatto ieri? 9 Mia cognata mangia
solo vegetariano. 10 Dopo la guerra molte città erano del tutto distrutte.

15. Stopniowanie

1
1 Claudio è più bravo di Marco. / C. è meno bravo di M. / C. è tanto bravo
quanto M.
2 Marta è più bella di Rosa. / M. è meno bella di R. / M. è tanto bella quanto R.
3 Roberto è più pigro di Massimo. / R. è meno pigro di M. / R. è tanto pigro
quanto M.
4 Elsa è più magra di Antonella. / E. è meno magra di A. / E. è tanto magra
quanto A.
5 Luca è più vivace di Andrea. / L. è meno vivace di A. / L. è tanto vivace
quanto A.
6 Angela è più alta di Paola. / A. è meno alta di P. / A. è tanto alta quanto P

2
1 più... che; 2 più... degli; 3 più... degli; 4 più ... che; 5 più... che;
6 più... di; 7 più... della; 8 più... che; 9 più... del; 10 più di; 11 più... di;
12 più... di

3
1 meno... dei; 2 meno ... di; 3 meno ... della; 4 meno ... di;
5 meno ... della; 6 meno ... che; 7 meno ... del; 8 meno ... che;
9 meno... dell'. 10 meno .... che

4
1 pessima; 2 tardissimo; 3 prossimo; 4 affollatissimo; 5 molto arrabbiato;
6 molto affamato; 7 caldissima; 8 sporchissimo; 9 bagnatissimo; 10 altissima;
11 pessimo; 12 freddissima; 13 bellissima; 14 tardissimo

5
1 infima; 2 minore; 3 ultimo; 4 inferiore; 5 migliore; 6 prossimo; 7 superiore;
8 primo; 9 peggiore; 10 maggiore

6
1 la più... d'; 2 il più... degli; 3 più ... dell'; 4 la più... di; 5 più... d';
6 più... degli; 7 la più... di; 8 più... che; 9 il più... dei; 10 la più... delle

16. Czas teraźniejszy

1
guardare: (io) guardo, (tu) guardi, (lei, lui, Lei) guarda, (noi) guardiamo, (voi) guardate, (loro, Loro) guardano
credere: credo, credi, crede, crediamo, credete, credono
dormire: dormo,dormi, dorme, dormiamo, dormite, dormono

2
1 lavorare; 2 mangiare; 3 dormire; 4 scrivere; 5 guardare; 6 guidare; 7 capire; 8 parlare; 9 finire

3
1 finisci, finisco; 2 capisci, capisce; 3 guidi, guido; 4 mangia, mangia; 5 dormite, dormiamo; 6 parla, parlare; 7 Guardi, guardo; 8 scrivi, scrivo; 9 lavora, lavora

4
1 parte; 2 tornate; 3 abita; 4 preferiamo; 5 ascolti; 6 finisce; 7 spende; 8 leggono; 9 telefona; 10 prendono

5

1 beviamo; 2 canta; 3 spende; 4 leggono; 5 regali; 6 fanno; 7 Finite; 8 Capisco; 9 dà;10 guarda

6
1 beve; 2 fanno; 3 stai, Sto; 4 dice; 5 dà; 6 dici

7
1 è; 2 ha; 3 studia; 4 frequenta; 5 ha; 6 va; 7 finisce; 8 esce; 9 vanno; 10 è; 11 torna; 12 preferisce; 13 legge; 14 fanno; 15 vanno; 16 hanno; 17 si rilassa; 18 pratica; 19 c'è

17. Czasowniki *essere* i *avere*

1

1 sono; 2 Sono; 3 Siamo; 4 È; 5 Siamo; 6 Sono; 7 È; 8 Sono; 9 È; 10 È
11 Sono

2

essere: io sono; tu sei; lei, lui, Lei è; noi siamo; voi siete; loro, Loro sono
avere: io ho; tu hai; lei, lui, Lei ha; noi abbiamo; voi avete; loro, Loro hanno

3

1 avete; 2 ha; 3 hanno; 4 hai; 5 ha; 6 hai; 7 Avete

4

1 In ufficio c'è la segretaria. 2 Nell'armadio ci sono i vestiti. 3 Davanti alla
stazione c'è un parcheggio. 4 In classe c'è l'insegnante. 5 Qui vicino c'è la
fermata dell'autobus. 6 Sul davanzale della finestra c'è il gatto.

5

1 è; 2 Ho; 3 siamo; 4 ha; 5 è; 6 è; 7 ha; 8 hanno

18. Czas przeszły *passato prossimo* i imiesłów bierny

1

avere: volare, camminare, ridere, viaggiare, fare, avere, comprare, vedere,
telefonare, dimenticare, credere
essere: andare, volare, essere, piovere, cadere, venire, nevicare, vivere, partire,
tornare (W mowie potocznej złożone formy czasów czasowników **piovere,
nevicare** i **vivere** są tworzone również z **avere**, np. **ha vissuto, ha piovuto,
ha nevicato.**)

2

1 letto; 2 messo; 3 fatto; 4 bevuto; 5 dato; 6 tradotto; 7 rimasto; 8 sofferto;
9 vinto; 10 scritto; 11 riso; 12 nato; 13 perso; 14 diviso; 15 aperto; 16 sceso;
17 riflettuto; 18 offerto; 19 corso; 20 spinto

3

1 Oggi ho comprato .... 2 Chiara e Mauro sono andati al cinema.
3 A scuola abbiamo tradotto .... 4 Perché non sei venuto a trovarmi?
5 Domenico è arrivato in ritardo a scuola. 6 Che cosa avete fatto il fine settimana? 7 Oggi è piovuto ininterrottamente! 8 Mia sorella si è sposata in
autunno. 9 Sting ha dato un concerto ....

4

1 arrivato; 2 sentito; 3 piaciuta; 4 telefonato; 5 abbattuto; 6 comprato;
7 fidanzati; 8 sposato

5

```
E S C R I T T O E C A D U T O R F V
E N B V E N A U T O R N A T O B E E
P A F I U E B U M S A L I T O N R N
O T A S O V B E L N U M F U R A N U
R O H S R I I S V E G L I A T O S T
T O R U E C E N B U S C I T O L E O
A N E T S A G Z U V O R N A C H H I
T A N O U T E D I M E N T I C A T O
O U S S E O N P E R T I T O E N N X
```

1 ho scritto; 2 è nato; 3 è caduta; 4 hanno vissuto, sono tornati; 5 è venuta; 6 ha dimenticato; 7 è salita; 8 si è svegliato, è uscito; 9 è nevicato; 10 ha portato

6

1 comprata; 2 visto; 3 visitata; 4 chiesta; 5 riuscito

7

1 letta; 2 lavata; 3 incontrati; 4 scattate; 5 conosciuta

8

1 andavo; 2 ero; 3 eravamo; 4 Siamo stati; 5 siamo stati; 6 Si formavano; 7 abbiamo organizzato; 8 eravamo (*lub:* erano); 9 erano; 10 dovevamo; 11 Erano; 12 siamo andati; 13 abbiamo fatto; 14 hanno proseguito; 15 sono andati; 16 hanno trovato; 17 hanno deciso; 18 si sono trasferiti

19. Czas przeszły *imperfetto*

1

guardare: guardavo, guardavi, guardava, guardavamo, guardavate, guardavano
leggere: leggevo, leggevi, leggeva, leggevamo, leggevate, leggevano
partire: partivo, partivi, partiva, partivamo, partivate, partivano

2

1 Sabato scorso avevo un appuntamento con un amico. 2 Roberto era un bambino molto buono e sensibile. 3 Due anni fa abitavo ancora con i miei genitori. 4 Da bambino Adriano andava spesso in vacanza al mare.
5 Da casa mia vedevo sempre dei tramonti bellissimi. 6 La casa aveva una stupenda vista sul lago. 7 Clara aveva smesso di fumare, ma poi ha ricominciato. 8 Susanna ieri sera aveva mal di testa. 9 I miei insegnanti del liceo erano molto bravi. 10 Non tornavano mai a casa prima di mezzanotte.

3

A M S T O V F M T X Y L N J G O U L
I N C O N T R A R S I E N V E S F P
L S A D D O R M E N T A R S I E E O
E L C O S T A R E S T E I G E N R S
G T A R O D B E A N D A R E R T N S
G C H H R M I T B R I N G E N I S E
E O M A N G I A R E N U B E R R E D
R N E S S I G I O C A R E A C S H E
E A N R U F E N E I N V I E L U E R
I N C O N T R A R E B P O R T A R E
S T M B O R A X B L H S R O C G E I

1 giocava; 2 andavo; 3 mangiavamo; 4 costava; 5 si sentiva;
6 si addormentavano; 7 leggeva; 8 possedeva; 9 si incontrava;
10 incontravo, portava

4
1 ero; 2 andavo; 3 vivevano; 4 andavamo; 5 potevamo; 6 era; 7 C'era;
8 usavano; 9 era; 10 sembravano; 11 avevamo; 12 giocavamo; 13 era;
14 giravano; 15 potevamo; 16 andavamo; 17 raccontava

5
1 sei arrivato, ero; 2 leggevo; 3 ho letto; 4 è partita; 5 ho incontrato, vedevo

6
1 viveva, andava; 2 hanno mangiato, avevano; 3 eravamo, raccontava;
4 hanno visitato

7
1 mi vestivo, ascoltavo; 2 faceva, leggeva; 3 si lavava, facevano;
4 mangiavano, guardavano; 5 stirava, ascoltava; 6 faceva, giocava;
7 telefonava, preparava; 8 spiegava, prendevano; 9 preparava, prenotava;
10 si pettinava, si faceva

8
1 frequentavo, ho conosciuto; 2 faceva, è finita; 3 uscivamo, è iniziato;
4 stavo, sono arrivati; 5 telefonavo, ha suonato; 6 passeggiava,
ha incontrato; 7 si asciugava, è andata; 8 scrivevo, è entrata;
9 era, ha ricevuto; 10 discutevano, sono stati interrotti

20. Czas przeszły *passato remoto*

1

parlare: parlai, parlasti, parlò, parlammo, parlaste, parlarono
potere: potei, potesti, potè, potemmo, poteste, poterono
finire: finii, finisti, finì, finimmo, finiste, finirono

2

1 scolpì; 2 nacque; 3 fu; 4 scrisse; 5 dichiarò; 6 fondarono; 7 creò; 8 dipinse

3

1 andai; 2 Cercarono; 3 Venne; 4 trascorremmo; 5 si alzò, si mise; 6 spedii;
7 vedemmo; 8 pubblicò; 9 ripose; 10 attesero

4

1 cenò – d; 2 andai – h; 3 vennero – a; 4 andai – j; 5 guardammo – f;
6 sentii – i; 7 ascoltasti – b; 8 lesse – e; 9 salì – c; 10 capirono – g

5

1 decidemmo; 2 partimmo; 3 telefonammo; 4 avvertimmo; 5 si arrabbiarono;
6 si calmarono; 7 ci divertimmo; 8 fu; 9 conoscemmo; 10 frequentammo;
11 tornò; 12 andammo; 13 ci avvicinammo; 14 scattò; 15 si precipitarono;
16 volevano; 17 riuscimmo; 18 ci lasciarono; 19 fu

6

1 ebbi mangiato, guardai; 2 ebbe chiuso, squillò; 3 avemmo ricevuto,
prendemmo; 4 ebbi letto, capii; 5 furono arrivati, decisero; 6 fu nominato, ci fu;
7 ebbi raggiunto, scoppiò; 8 furono usciti, riuscì; 9 ebbero fatto, si riposarono;
10 ebbe visitato, decise

7
Alcuni anni fa frequentai un corso d'italiano a Perugia, presso l'università per stranieri. Lì c'erano molti altri studenti che venivano da tutto il mondo. I nostri insegnanti erano molto giovani e simpatici. Avevamo già iniziato il corso da una settimana quando, un giorno, arrivò una nuova studentessa. Era danese ed era bellissima. I nostri sguardi si incontrarono subito e diventammo molto (*lub:* grandi...) amici. Trascorremmo tutta l'estate insieme e facemmo molte gite attraverso tutta l'Umbria. Siccome io non capivo il danese e lei non parlava il portoghese (la mia lingua) fummo costretti a parlare sempre l'italiano tra di noi. Alla fine del corso decidemmo di rincontrarci in Umbria. Questo naturalmente accadde due mesi più tardi e un anno dopo ci sposammo e ci trasferimmo a Perugia, dove comprammo una casa e da allora viviamo.

21. Czasy przyszłe *futuro semplice* i *futuro composto*

1
passare: passerò, passerai, passerà, passeremo, passerete, passeranno
vedere: vedrò, vedrai, vedrà, vedremo, vedrete, vedranno
finire: finirò, finirai, finirà, finiremo, finirete, finiranno

2
1 Domani andrò in piscina. 2 Arriverà domani. 3 Sarà nella borsa bianca. 4 Stasera usciremo con gli amici inglesi. 5 Perchè dovrò lavorare. 6 Ci andremo il prossimo fine settimana. 7 Torneranno molto presto.

3
1 Lasceremo.... 2 Andrete ...? 3 Vi riferiranno .... 4 Verranno .... 5 Ti daranno .... 6 Farete.... 7 Le diremo .... 8...starete .... 9 Tradurranno.... 10 Berremo ....

4
1 A che ora decollera l'aereo? 2 Quando (*lub:* A che ora ...) partirai da Colonia? 3 Chi vincerà (*np.* il prossimo Gran Premio di Formula 1)? 4 Che macchina comprerà? 5 Quando compirà gli anni? 6 Che cosa festeggeranno i suoi genitori? 7 Dove comprerà una casa Gilda? 8 In che mese finirà il semestre estivo? (*lub:* Quando finirà ...?)

5
1 Domani andrò .... 2 A che ora ci incontreremo ...? 3 La prossima settimana usciranno .... 4 Tra qualche mese ci saranno .... 5 Stasera andrò a.... 6 Questa macchina sarà .... 7 Il problema non sarà....

6

1 – g; 2 – d; 3 – e; 4 – a; 5 – c; 6 – h; 7 – i; 8 – b; 9 – j; 10 – f

7

1 Dopo che avrà fatto colazione, Luigi andrà in ufficio.
2 Dopo che avremo fatto i bagagli, partiremo per il Nepal.
3 Dopo che avrà finito di scrivere il libro, Anna andrà in vacanza.
4 Dopo che avrà fatto la doccia, Carlo comprerà il giornale.
5 Dopo che avremo terminato la lezione, prenderemo la metropolitana.
6 Dopo che ti sarai laureato, potrai fare un viaggio.
7 Dopo che avrà trovato un lavoro, Sara si comprerà una macchina.
8 Dopo che avrà finito di leggere, telefonerà a Davide.
9 Dopo che avrà frequentato il corso di informatica, Franco saprà usare bene il computer.
10 Dopo che avrà fatto le spese, Angela andrà a trovare Sabina.
11 Dopo che avrete pranzato, potrete fare un pisolino.
12 Dopo che avrà visitato la fiera, andrà a un ricevimento.
13 Dopo che avrai navigato in internet tutta la notte, sarai stanco morto.
14 Dope che saranno andati in pensione, Mario e Nadia si trasferiranno in campagna.

22. Tryb warunkowy

1

restare: resterei, resteresti, resterebbe, resterebbe, resteremmo, restereste, resterbbero, resterebbero
vedere: vedrei, vedresti, vedrebbe, vedrebbe, vedremmo, vedreste, vedrebbero, vedrebbero
capire: capirei, capiresti, capirebbe, capirebbe, capiremmo, capireste, capirebbero, capirebbero

2

1 – f; 2 – d; 3 – a; 4 – j; 5 – c; 6 – h; 7 – e; 8 – b; 9 – g; 10 – i

3

1 Non vorrei partire, ma è necessario. 2 Mi piacerebbe mangiare una granita al caffè. 3 Da grande vorrebbe diventare veterinario. 4 Quando arrivate dovreste telefonare a vostra madre. 5 Avrei proprio bisogno di un po' di riposo.

4

1 berrei; 2 Potremmo; 3 vorrei; 4 vorrei; 5 andrebbe; 6 preferirei; 7 potrei; 8 potremmo; 9 staremmo; 10 dovrebbe; 11 sarebbe

5

```
L  S C(F A R E)B E(P I A C E R E)F G
E  S B S E N A U F D O M P R A R E N
G  L(V E N I R E)M S T E  I G E N R E
G  T A R O D B E L N U M F U R A N(A
E  C H H R M  I T B R(D O V E R E)S  V
R  O R L E S E N B E N U B E R L E E
E) N E S S  I G Z P R A S T U R O H R
N A(P R E P A R A R)E V  I E L E E(E
(D E S  I D E R A R E)B  I E R E N N X
```

1 avrei; 2 piacerebbe; 3 desidererebbe; 4 Verrei; 5 dovresti; 6 farebbe;
7 prepareresti; 8 leggerebbero

6
1 Faceva molto caldo, sarei andato volentieri in piscina. 2 Aveva mal di denti,
sarebbe dovuto andare dal dentista. 3 Le avremmo dato un passaggio, ma la
macchina era rotta. 4 Avrebbe voluto smettere, però non ci riusciva.
5 Avrebbe comprato volentieri una moto, ma sua moglie aveva paura.

7
1 L'avrei invitato volentieri, ma era già impegnato. 2 L'avrei chiamato volentieri,
ma era in vacanza. 3 Ci saremmo andati volentieri, ma dovevamo studiare.
4 Ci saremmo andati volentieri, ma c'era lo sciopero dei treni.
5 Mi sarei alzato volentieri, ma avevo mal di testa. 6 L'avrei presa volentieri, ma
era rotta. 7 Glielo avrei detto volentieri, ma non l'ho incontrata. 8 L'avrei scritta
volentieri, ma non avevo tempo. 9 Gliele avrei comprate volentieri, ma il
negozio era chiuso. 10 Ci sarei andato volentieri, ma sono malato.

23. Tryb łączący

1
guardare: guardi, guardi, guardi, guardiamo, guardiate, guardino
leggere: legga, legga, legga, leggiamo, leggiate, leggano
sentire: senta, senta, senta, sentiamo, sentiate, sentano

2
1 arrivi; 2 sia; 3 vengano; 4 stia; 5 sia; 6 abbia; 7 voglia; 8 informino; 9 abbia;
10 esca; 11 stia; 12 aiuti

3

1 Credo che sia andata a fare la spesa. 2 Credo che sia uscito con la sua ragazza. 3 Credo che sia partita per motivi di lavoro. 4 Credo che si sia ritirata nella sua camera. 5 Credo che sia andato a pattinare. 6 Credo che siano rimasti a casa. 7 Credo che siano andati in piscina. 8 Credo che siano andati a passeggiare. 9 Credo che sia rimasto dai nonni.

4

1 telefoni; 2 faccia; 3 parli; 4 venga; 5 ci siano; 6 si possano incontrare; 7 venga; 8 possa; 9 racconti; 10 si sia

5

1 L'insegnante vuole che in classe si parli solo italiano. 2 Speriamo che abbia superato l'esame. 3 Potrebbe essere che si siano sbagliati. 4 È probabile che non l'abbiano ancora raccontato a nessuno. 5 I miei genitori volevano che studiassi medicina. 6 Sono contenti che tu l'abbia comprato.

6

1 affinché; 2 Benché; 3 prima che; 4 nel caso che; 5 Sebbene; 6 purché; 7 purché; 8 Sebbene; 9 nel caso in cui; 10 come se

7

1 Non pensavo che avesse già .... 2 Volevo che tu riflettessi bene .... 3 Ci auguravamo che avessero ben ponderato .... 4 Si pensava che durante le vacanze... molti turisti visitassero l'Italia.5 Dubitavo che riuscissero a finire....

24. Tryb rozkazujący

1

1 alzati; 2 va'; 3 bere; 4 mangia; 5 rimetti; 6 studia; 7 disdici; 8 uscire; 9 lamentarti; 10 fa'; 11 sbrigati

2

1 abbiano; 2 si arrabbi; 3 fa'; 4 stia, ti preoccupare; 5 non dire; 6 date; 7 sii; 8 di'

3

1 ...scriva.... 2 ... parli....3 ...si accomodi .... 4 ...telefoni.... 5 ... mi mostrino.... 6 ...accompagni.... 7 ...finisca.... 8 ... chiuda.... 9...assaggi....

4

1 seguile; 2 Annaffia; 3 annaffiarle; 4 vieni; 5 da'; 6 sii; 7 fagli; 8 ti preoccupare; 9 metti; 10 esagerare; 11 controlla; 12 Telefonami

5
1 Non speditemi ...! 2 Non datele ...! 3 Non diteci...! 4 Non prendermi...!
5 Non trattatelo bene...! 6 Non prenderla ...! 7 Non spiegatele...!

6
1 Scusi, vada, giri; 2 Senta, giri, proceda; 3 Sentite. Prendete, andate, voltate;
4 Senta. Girino (oder. Girate), camminino (oder: camminate); 5 Scusa. Prendi.

7
1 Compraglielo! 2 Leggimela! 3 Spediscigliela! 4 Dagliela! 5 Falla loro! (Oder.
Fagliela!) 6 Ditecela! 7 Offritecelo! 8 Parlamene!

25. Strona bierna

1
1 Le corse di Formula 1 sono seguite da molti tifosi. (_lub:_ vengono seguite)
2 Ogni anno l'Italia è visitata da migliaia di turisti. (_lub:_ viene visitata)
3 Prima o poi sarà costruito il ponte sullo stretto di Messina. (_lub:_ verrà
costruito) 4 L'ambiente è sempre più rispettato dagli italiani. (_lub:_
viene ... rispettato) 5 Una favola è letta tutte le sere al bambino dal papà. (_lub:_
viene letta) 6 I corsi d'italiano all'università sono frequentati da molti studenti.
(_lub:_ vengono frequentati) 7 All'inizio di ogni estate le strade in direzione del
mare sono percorse da molte auto. (_lub:_ vengono percorse)

2
1 Sono stata accompagnata da Alberto. 2 Mi sono state riferite dall'avvocato.
3 È stato scoperto da molti anni. 4 Sono stata chiamata da un mio collega.
5 Mi è stato recapitato alle 14.00.

3
1 Molte poesie bellissime furono scritte da Giacomo Leopardi.
2 L'America fu scoperta nel XV sec. da Cristoforo Colombo.
3 La Cappella Sistina fu dipinta da Michelangelo Buonarroti.
4 Il famoso romanzo „Moby Dick" fu scritto nel 1851 da H. Melville.
5 Molte macchine belliche furono progettate da Leonardo da Vinci.
6 Molte commedie e tragedie bellissime furono scritte da William
Shakespeare.
7 Molti artisti furono protetti da Lorenzo il Magnifico.
8 La Basilica di Assisi fu affrescata da molti famosi pittori italiani come Giotto e
Cimabue.
9 Molti castelli da favola furono fatti costruire da Ludovico II di Baviera.
10 Molte riproduzioni di opere famose furono raccolte da Salvador Dalì
durante la sua vita.

4

1 Chi ti ha prestato questo libro?
2 Durante il telegiornale hanno annunciato la notizia dell'attentato.
3 Mia madre ha piantato i fiori in giardino.
4 Spero che tutti capiranno le sue azioni.
5 Tutti i cittadini devono osservare le leggi.
6 Se continuerà a non studiare lo bocceranno.
7 Non vi preoccupate, preparerò la cena in un attimo.
8 Chi vi ha spedito questo pacco?

5

1 ... non viene capita.... 2 ...verranno seguiti.... 3 ...venne distrutta....
4 ... venne frequentato .... 5 ... venivano regalati .... 6 ... viene guardato ....
7 ...venne ricevuto.... 8 ...verrà indetto.... 9 ...veniva illuminato....
10 ... venne sostenuto ....

6

1 Il pacco va spedito subito. 2 La frutta va mangiata fresca. 3 La bolletta del
telefono va pagata subito. 4 I regali di Natale vanno comprati oggi.
5 La camera va prenotata domani. 6 Le rose vanno potate stasera.
7 Il biglietto va comprato subito. 8 Una e-mail va spedita immediatamente.

26. Czasowniki modalne

1

volere: voglio, vuoi, vuole, vogliamo, volete, vogliono
potere: posso, puoi, può, possiamo, potete, possono
dovere: devo, devi, deve, dobbiamo, dovete, devono

2

1 potuto, dovuta; 2 potrei, voglio; 3 potrei, posso; 4 potrò, verrò; 5 devi, puoi;
6 vuoi, devi; 7 vuole, deve; 8 possiamo, dobbiamo; 9 dovranno, vorranno;
10 devi, potrai

3

1 vorrei; 2 posso; 3 vorrei; 4 dovrei; 5 vorrei; 6 può; 7 potrei; 8 può

4

1 Sono dovuto andare a casa. 2 Ho voluto telefonare a Sergio. 3 Siamo potuti
partire presto. 4 Avete voluto visitare il museo. 5 I miei amici sono voluti venire
a trovarmi. 6 La signora Paoli ha dovuto prendere l'aereo. 7 Il dottore ha
potuto prescrivere delle medicine. 8 Le bambine sono volute andare a scuola
a piedi. 9 Cristina è dovuta partire per motivi di lavoro. 10 Angela è voluta
andare a teatro.

27. Bezosobowa forma *si*

1
1 Stasera si va al cinema. 2 Si arriva a casa alle 10.00. 3 Si studiano le lingue classiche. 4 Ci si ferma in città. 5 Si deve essere puntuali. 6 Ci si sveglia presto la mattina. 7 A volte si devono fare dei compromessi. 8 Si potevano trovare altre soluzioni. 9 Ci si deve abituare a questo ritmo di vita. 10 Si deve agire più prontamente.

2
1 Si sarebbe potuta evitare questa catastrofe ambientale. 2 Ogni sera si va a letto troppo tardi. 3 Ci si dovrebbe incontrare più spesso. 4 Gli si fanno troppe domande. 5 Non si devono mai raccontare le bugie. Le bugie hanno le gambe corte. 6 Ci si è incontrati a casa sua.

3
1 Non si è potuto capire .... 2 Da Monaco a Roma si sono impiegate .... 3 Si è iniziata .... 4 In quella nazione si sono usate .... 5 Si è iniziato a licenziare .... 6 Non si è notata molto .... 7 Ci si è abituati .... 8 Non si è saputo ....

4
1 Si è molto stanchi. 2 Ci si è riposati. 3 Non si deve mai essere tristi. 4 Si è sempre di fretta. 5 Si è piuttosto tranquilli. 6 Non si è molto interessati. 7 Si beve troppo alcol. 8 Non ci si sente soli. 9 Si è annoiati. 10 Ci si è divertiti molto.

28. Mowa zależna i niezależna

1
1 Luca dice che vuole un cagnolino. 2 Sara e Carlo chiedono se prestiamo loro (*lub:* gli prestiamo) la macchina stasera. 3 Carola conclude che va a casa, perché è stanca. 4 Piero afferma che appena finisce di lavorare, viene volentieri. 5 Andrea dice che odia i maglioni di lana. 6 Il metereologo dice che domani farà bel tempo. 7 Il ministro afferma che verranno stanziati più soldi per la ricerca.

2
1 Susanna dice: „Voglio andare alla festa". 2 Michele dice: „Quando leggo voglio stare comodo". 3 Il giornalista afferma: „Domani ci sarà lo sciopero dei benzinai". 4 Il medico dice: „Il fumo Le fa molto male". 5 Il direttore dice alla segretaria: „Signorina, telefoni all'ingegner Mori".

3

1 La ragazza disse che il fine settimana sarebbe andata al mare con gli amici. 2 L'uomo aggiunse che se non fosse stato perché aveva bisogno di soldi, avrebbe cambiato lavoro. 3 Affermava sempre che non mi dovevo preoccupare, che mi avrebbe aiutato. 4 Luigi rispose che mi avrebbe chiamato appena sarebbe arrivato a casa. 5 Claudia disse che in caso di ritardo mi avrebbe telefonato. 6 Lei ripete sempre ai bambini di non essere cattivi.

4

1 Alessia disse: „Sono appena arrivata e mi fermerò …". 2 I ragazzi affermarono: „Siamo tornati dalle vacanze, perché abbiamo finito tutti i soldi". 3 Angela mi disse: „Telefona a Matteo e chiedigli se vuole venire a cavalcare". 4 La segretaria asserì: „L'esame potrà essere sostenuto all'inizio di ottobre". 5 Nicoletta disse: „Ieri sera ho preso freddo e di conseguenza mi sono ammalata".

29. Zdania warunkowe

1

1 sei, vai; 2 nevica, vado; 3 si sbriga, perde; 4 bevete, vi innervosite; 5 vieni, racconto; 6 partiamo, troviamo; 7 vai, vengo; 8 tornate, mangiamo; 9 piace; regalo; 10 ha, deve

2

1 riusciranno, compreranno; 2 avremo, andremo; 3 guiderà, andrò; 4 otterrà, potrà; 5 continuerà, lasceranno; 6 sarò, andrò; 7 saranno, porterà; 8 vorrete, potrete; 9 studierai, riuscirai

3

1 avessi dovuto, sarei andata; 2 fossimo partiti, avremmo trovato; 3 avesse avuto, sarebbe rimasto; 4 avesse ascoltato, si sarebbe trovato; 5 avesse preso, si sarebbe bagnata; 6 si fosse comportata, l'avrebbero stimata; 7 fossero stati, avrebbe finito; 8 avesse avuto, avrebbe accompagnato

30. Przyimki

1

1 di; 2 Di; 3 a; 4 con; 5 a; 6 in; 7 Alle; 8 in; 9 A; 10 in; 11 di; 12 al; 13 di; 14 in; 15 al; 16 a; 17 con; 18 per. 19 a; 20 a; 21 a

2

1 Domani devo andare a Milano. 2 Come vai a scuola, a piedi o con l'autobus?
3 Non è possibile imparare una lingua in due mesi. 4 Negli ultimi giorni ho
incontrato pochi amici. 5 Vivo in questo paese da dieci anni. 6 Mette sempre
gel nei capelli.

3

	la	le	il	i	lo	gli
di	della	delle	del	dei	dello	degli
a	alla	alle	al	ai	allo	agli
da	dalla	dalle	dal	dai	dallo	dagli
in	nella	nelle	nel	nei	nello	negli
su	sulla	sulle	sul	sui	sullo	sugli

4

1 dall'; 2 dalla; 3 della, delle; 4 sulla, delle; 5 all'. 6 nel, degli; 7 Nel, delle;
8 dell', del; 9 Nei; 10 dei

5

1 da; 2 da; 3 di; 4 dai, di; 5 di; 6 dalla; 7 di; 8 da

6

1 In; 2 a; 3 in, in; 4 in; 5 a; 6 in; 7 in

7

1 con; 2 con; 3 sulla; 4 sugli; 5 Con; 6 su; 7 con; 8 sul; 9 sul

8

1 Fra / tra; 2 per; 3 fra / tra; 4 Per; 5 Fra / tra; 6 per. 7 per; 8 per; 9 Fra / tra;
10 fra / tra

31. Spójniki

1

1 c: e poi ...; 2 – e: tuttavia; 3 – g: anzi; 4 – j: cioè; 5– i: invece; 6 – b: perciò;
7 – d: cioè; 8 – h: o; 9 – f: né...né; 10 – a: eppure

2

1 Appena; 2 finché; 3 Dopo che; 4 Quando; 5 Prima che; 6 appena;
7 Quando; 8 finché; 9 Dopo che; 10 prima che

3

1 Poiché è stato male tutta la notte, questa mattina non è andato a lavorare.

2 Siccome la situazione di degrado del quartiere è molto grave, il comune ha deciso di risanarlo.

3 Dato che non arrivavi, ho pensato di telefonare sul cellulare per sapere dove eri.

4 Ha letto tutta la notte perché non riusciva a dormire.

5 Mise gli occhiali affinché potesse leggere meglio.

Słowniczek terminów gramatycznych włosko-polski

accusativo	biernik
aggettivo dimostrativo	zaimek przymiotny wskazujący
aggettivo indefinito	zaimek przymiotny nieokreślony
aggettivo interrogativo	zaimek przymiotny pytający
aggettivo possessivo	zaimek przymiotny dzierżawczy
articolo	rodzajnik
articolo determinativo	rodzajnik określony
articolo indeterminativo	rodzajnik nieokreślony
articolo partitivo	rodzajnik cząstkowy
avverbio interrogativo	przysłówek pytający
avverbio pronominale	przysłówek zaimkowy
comparativo	stopień wyższy
condizionale composto	tryb warunkowy złożony (uprzedni)
condizionale semplice	tryb warunkowy prosty
congiuntivo	tryb łączący
congiunzione	spójnik
dativo	celownik
discorso diretto	mowa niezależna
discorso indiretto	mowa zależna
forma attiva	strona czynna
frase relativa	zdanie względne
futuro composto	czas przyszły złożony (uprzedni)
futuro semplice	czas przyszły prosty
il femminile	rodzaj żeński
il maschile	rodzaj męski
il sostantivo	rzeczownik
imperativo	tryb rozkazujący
imperfetto	czas przeszły niedokonany
indicativo	tryb oznajmujący
infinito	bezokolicznik
l'aggettivo	przymiotnik
l'avverbio	przysłówek
participio passato	imiesłów bierny
passato prossimo	czas przeszły bliski
passato remoto	czas przeszły odległy
passivo	strona bierna
periodo ipotetico della realtà	okres warunkowy realny
periodo ipotetico dell'impossibilità	okres warunkowy nierealny
periodo ipotetico	okres warunkowy
plurale	liczba mnoga
preposizione	przyimek

presente	czas teraźniejszy
pronome	zaimek
pronome dimostativo	zaimek rzeczowny wskazujący
pronome indefinito	zaimek rzeczowny nieokreślony
pronome interrogativo	zaimek rzeczowny pytający
pronome personale	zaimek osobowy
pronome personale oggetto	zaimek osobowy w funkcji dopełnienia
pronome possessivo	zaimek rzeczowny dzierżawczy
pronome relativo	zaimek wględny
pronome riflessivo	zaimek zwrotny
singolare	liczba pojedyncza
superlativo	stopień najwyższy
trapassato prossimo	czas przeszły (zaprzeszły bliski)
trapassato remoto	czas przeszły (zaprzeszły odległy)
verbo	czasownik
verbo modale	czasownik modalny

Słowniczek terminów gramatycznych polsko-włoski

bezokolicznik	infinito
bezokolicznik przeszły	infinito passato
bezokolicznik teraźniejszy	infinito presente
czas przeszły bliski	passato prossimo
czas przeszły niedokonany	imperfetto
czas przeszły odległy	passato remoto
czas przyszły prosty	futuro semplice
czas przyszły uprzedni	futuro anteriore
czas teraźniejszy	presente
czas zaprzeszły bliski	trapassato prossimo
czas zaprzeszły odległy	trapassato remoto
czasownik	verbo
czasownik modalny	verbo modale
czasownik nieregularny	verbo irregolare
czasownik posiłkowy	verbo ausiliare
imiesłów bierny	participio passato
imiesłów czynny	participio presente
imiesłów nieodmienny/przysłówkowy	gerundio
imiesłow nieodmienny przeszły	gerundio passato
imiesłow nieodmienny teraźniejszy	gerundio presente
liczebnik	numerale
liczebnik główny	numerale cardinale
liczebnik nieokreślony	numerale indefinito
liczebnik porządkowy	numerale ordinale
następstwo czasów	concordanza dei tempi
przeczenie	negazione
przyimek	preposizione
przymiotnik	aggettivo
przysłówek	avverbio
rodzajnik	articolo
rodzajnik cząstkowy	partitivo
rodzajnik nieokreślony	articolo indeterminativo
rodzajnik określony	articolo determinativo
rzeczownik	nome
spójnik	congiunzione
strona bierna	passivo
strona czynna	attivo
tryb łączący	congiuntivo
tryb oznajmujący	indicativo
tryb rozkazujący	imperativo
tryb warunkowy	condizionale

tryb warunkowy przeszły	condizionale passato
tryb warunkowy teraźniejszy	condizionale presente
zaimek	pronome
zaimek dzierżawczy	pronome possessivo
zaimek nieokreślony	pronome indefinito
zaimek osobowy	pronome personale
zaimek pytający	pronome interrogativo
zaimek wskazujący	pronome dimostrativo .
zaimek względny	pronome relativo

Skróty stosowane w tekście

Skróty polskie:

dosł.	dosłownie
l.mn.	liczba mnoga
l.poj.	liczba pojedyncza
os.	osoba
r.m.	rodzaj męski
r.ż.	rodzaj żeński

Skróty włoskie:

cond.	condizionale
cong.	congiuntivo
fut. semp.	futuro semplice
imp.	imperfetto
pl.	plurale
pres.	presente
sing.	singolare

Czasowniki nieregularne

Większość tych czasowników ma formy nieregularne tylko w niektórych czasach, przede wszystkim w passato remoto oraz passato prossimo (nieregularny participio passato). Formy te zostały wytłuszczone.

infinito	presente	passato remoto	passato prossimo	pozostałe formy nieregularne
accendere *zapalać*	accendo	**accesi**	ho **acceso**	
andare *iść*	**vado vai va** andiamo andate **vanno**	andai	sono andato/-a	cong. pres. **vada**, andiamo, andiate, **vadanno** fut. semp. **andrò** cond. pres. **andrei**
aprire *otwierać*	apro	aprii	ho **aperto**	*tak samo:* scoprire *odkrywać*, soffrire *cierpieć*, offrire *oferować*
bere *pić*	**bevo bevi beve beviamo bevete bevono**	**bevvi**	ho **bevuto**	fut. semp. **berrò** cond. pres. **berrei** wszystkie inne formy są tworzone od tematu **bev-**, np. cong. pres. **beva**
cadere *upadać*	cado	**caddi**	sono caduto / -a	fut. semp. **cadrò** cond. pres. **cadrei**
chiedere *pytać*	chiedo	**chiesi**	ho **chiesto**	
chiudere *zamykać*	chiudo	**chiusi**	ho **chiuso**	
confondere *mylić*	confondo	**confusi**	ho **confuso**	*tak samo:* diffondere *szerzyć*
conoscere *znać/poznawać*	conosco	**conobbi**	ho conosciuto	*tak samo:* riconoscere *(roz)poznawać*
correggere *poprawiać*	correggo	**corressi**	ho **corretto**	

infinito	presente	passato remoto	passato prossimo	pozostałe formy nieregularne
correre *biec*	corro	**corsi**	ho **corso**	*tak samo*: trascorrere *spędzać*, occorrere *być koniecznym*
costringere *zmuszać*	costringo	**costrinsi**	ho **costretto**	*tak samo*: stringere *naciskać, trzymać*
crescere *rosnąć*	cresco	**crebbi**	sono cresciuto / -a	
dare *dawać*	do **dai dà** diamo date **danno**	**diedi/detti desti die- de/dette demmo deste/ diedero dettero**	ho dato	conj. pres. **dia** conj. imp. **dessi** fut. semp. **darò** cond. pres.**darei** imperativo sing. **da' (dai)**
decidere *decydować*	decido	**decisi**	ho **deciso**	*tak samo*: uccidere *zabijać*
difendere *bronić*	difendo	**difesi**	ho **difeso**	*tak samo*: offendere *obrażać*
dire *mówić*	**dico dici dice diciamo dite dicono**	**dissi**	ho **detto**	ind. imp. **dicevo** cong. pres. **dica** cong. imp. **dicessi** fut. semp. **dirò** cond. pres. **direi** imperativo sing. **dì'** ger. **dicendo**
discutere *dyskutować*	discuto	**discussi**	ho **discusso**	
distinguere *odróżniać*	distinguo	**distinsi**	ho **distinto**	*tak samo*: estinguere *gasić*
distruggere *niszczyć*	distruggo	**distrussi**	ho **distrutto**	

infinito	presente	passato remoto	passato prossimo	pozostałe formy nieregularne
dovere *musieć*	**devo devi deve dobbiamo** dovete **devono**	dovei/ dovetti	ho dovuto	cong. pres. **debba/deva, dobbiamo, dobbiate,debbano/devano** fut. semp. **dovrò** cond. pres. **dovrei**
esprimere *wyrażać*	esprimo	**espressi**	ho **espresso**	
fare *robić*	**faccio fai fa facciamo fate fanno**	**feci**	ho **fatto**	cong. pres. **faccia** cong. imp. **facessi** fut. semp. **farò** cond. pres. **farei** imperativo sing. **fà (fai)** ger. **facendo**
giungere *dotrzeć, osiągnąć*	giungo	**giunsi**	sono **giunto/-a**	*tak samo:* aggiungere *dodawać,* raggiungere *dogonić, osiągnąć*
leggere *czytać*	leggo	**lessi**	ho **letto**	
mettere *stawiać, kłaść*	metto	**misi**	ho **messo**	*tak samo:* ammettere *przyznawać,* commettere *popełniać,* permettere *pozwalać,* promettere *przyrzekać* smettere *przestawać*
morire *umierać*	**muoio muori muore** moriamo morite **muoiono**	morii	**è morto/-a**	cong. pres. **muoia**
muovere *poruszać*	muovo	**mossi**	ho **mosso**	

infinito	presente	passato remoto	passato prossimo	pozostałe formy nieregularne
nascere *rodzić się*	nasco	**nacqui**	sono **nato/-a**	
nascondere *ukrywać*	nascondo	**nascosi**	ho **nascosto**	
parere *wydawać się*	**paio** pari pare **paiamo** parete **paiono**	**parvi**	sono **parso/-a**	fut. semp. **parrò** cong. pres. **paia** cond. pres. **parrei**
perdere *tracić, gubić*	perdo	**persi**	ho **perso**	
piacere *podobać się, lubić*	**piaccio** piaci piace **piacciamo** piacete **piacciono**	**piacque**	sono piaciuto/-a	cong. pres. **piaccia** *tak samo*: dispiacere *sprawiać przykrość* (*czas. bezosobowy!*)
piangere *płakać*	piango	**piansi**	ho **pianto**	
potere *móc*	**posso** **puoi** **può** **possiamo** potete **possono**	potei	ho potuto	cong. pres. **possa** fut. semp. **potrò** cond. pres. **potrei**
prendere *brać*	prendo	**presi**	ho **preso**	*tak samo:* apprendere *uczyć się, dowiadywać się,* comprendere *pojmować,* sorprendere *zaskakiwać*

infinito	presente	passato remoto	passato prossimo	pozostałe formy nieregularne
produrre *produkować*	produco produci produce produciamo producete producono	produssi	ho prodotto	fut. semp. **produrrò** cond. pres. **produrrei** Wszystkie inne formy są tworzone od tematu **produc-**, np. ind. imp. **producevo**. *tak samo*: ridurre *redukować*, tradurre *tłumaczyć, przekładać*
proporre *proponować*	propongo proponi propone proponiamo proponete propongono	proposi	ho proposto	ind. imp. **proponevo** cong. pres. **proponga** cong. imp. **proponessi** fut. semp. **proporrò** cond. pres. **proporrei** *tak samo*: supporre *przypuszczać*
ridere *śmiać się*	rido	risi	ho riso	*tak samo*: sorridere *uśmiechać się*, deridere *wyśmiewać, kpić z*
rimanere *(po-)zostawać*	rimango rimani rimane rimaniamo rimanete rimangono	rimasi	sono rimasto/-a	cong. pres. **rimanga** fut. semp. **rimarrò** cond. pres. **rimarrei**
risolvere *rozwiązywać*	risolvo	risolsi	ho risolto	
rispondere *odpowiadać*	rispondo	risposi	ho risposto	*tak samo*: corrispondere *odpowiadać*

infinito	presente	passato remoto	passato prossimo	pozostałe formy nieregularne
rompere *łamać, tłuc*	rompo	**ruppi**	ho **rotto**	*tak samo*: interrompere *przerywać*
salire *wsiadać, wchodzić*	**salgo** sali sale saliamo salite **salgono**	salii	sono salito/-a	cong. pres. **salga**
sapere *wiedzieć, umieć*	**so sai sa sappiamo** sapete **sanno**	**seppi**	ho saputo	cong. pres. **sappia, sappiamo, sappiate, sappiano** fut. semp. **saprò** cond. pres. **saprei** imperativo **sappi, sappiate**
scegliere *wybierać*	**scelgo scegli** sceglie **scegliamo** scegliete **scelgono**	**scelsi**	ho **scelto**	cong. pres. **scelga**
scendere *schodzić*	scendo	**scesi**	sono **sceso/-a**	
scrivere *pisać*	scrivo	**scrissi**	ho **scritto**	*tak samo*: descrivere *opisywać*
sedere *siedzieć*	**siedo siedi siede** sediamo sedete **siedono**	sedei / -etti	sono seduto/-a	cong. pres. **sieda** *tak samo:* sedersi *siadać* possedere *posiadać*
spegnere *gasić, wyłączać*	**spengo** spegni spegne **spegniamo** spegnete **spengono**	**spensi**	ho **spento**	

infinito	presente	passato remoto	passato prossimo	pozostałe formy nieregularne
spendere *wydawać*	spendo	**spesi**	ho **speso**	
spingere *pchać*	spingo	**spinsi**	ho **spinto**	
stare *stać, być*	sto **stai** sta stiamo state **stanno**	**stetti stesti stette stemmo steste stettero**	sono stato/-a	cong. pres. **stia** cong. imp. **stessi** fut. semp. **starò** cond. pres. **starei** imperativo sing. **sta'** **(stai)**
tacere *milczeć*	**taccio** taci tace **tacciamo** tacete **tacciono**	**tacqui**	ho taciuto	cong. pres. **taccia**
tenere *trzymać*	**tengo tieni tiene** teniamo tenete **tengono**	**tenni**	ho tenuto	cong. pres. **tenga** fut. semp. **terrò** cond. pres. **terrei** *tak samo:* contenere *zawierać,* ottenere *uzyskiwać,* sostenere *twierdzić*
togliere *zabierać*	**tolgo togli** toglie **togliamo** togliete **tolgono**	**tolso**	ho **tolto**	cong. pres. **tolga** *tak samo:* raccogliere *zbierać,* accogliere *przyjmować*
uscire *wychodzić*	**esco esci esce** usciamo uscite **escono**	uscii	sono uscito/-a	cong. pres. **esca** *tak samo:* riuscire *zdołać, udać się*
vedere *widzieć*	vedo	**vidi**	ho **visto**	fut. semp. **vedrò** cond. pres. **vedrei**

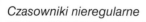
infinito	presente	passato remoto	passato prossimo	pozostałe formy nieregularne
venire *przychodzić*	**vengo** **vieni** **viene** veniamo venite **vengono**	**venni**	sono **venuto/-a**	cong. pres. **venga** fut. semp. **verrò** cond. pres. **verrei**
vincere *wygrywać, zwyciężać*	vinco	**vinsi**	ho **vinto**	*tak samo*: convincere *przekonywać*
vivere *żyć*	vivo	**vissi**	ho **vissuto**	fut. semp. **vivrò** cond. pres. **vivrei**
volere *chcieć*	**voglio** **vuoi** **vuole** **vogliamo** volete **vogliono**	**volli**	ho voluto	cong. pres. **voglia** fut. semp. **vorrò** cond. pres. **vorrei**

Indeks

5% rabatu

przy zakupie następujących tytułów
wydawnictwa Langenscheidt:

Słownictwo podstawowe język angielski
Słownictwo podstawowe język francuski
Słownictwo podstawowe język hiszpański
Słownictwo podstawowe język niemiecki
Słownictwo podstawowe język włoski

1000 idiomów angielskich
1000 idiomów francuskich
1000 idiomów niemieckich
1000 idiomów włoskich

**we wszystkich księgarniach
GRUPY MATRAS
na terenie całego kraju**

telefony kontaktowe:
Matras Gdańsk (0-58) 344-40-22
Matras Bydgoszcz (0-52) 342-19-86
Matras Katowice (0-32) 258-91-26
Matras Wrocław (0-71) 359-26-53
Matras Warszawa (0-22) 632-55-91

Adresy wszystkich księgarń grupy MATRAS
na stronie

www.langenscheidt.pl

link: Partnerzy handlowi

KUPON
5% rabatu

przy zakupie następujących tytułów
wydawnictwa Langenscheidt:

Słownictwo podstawowe język angielski
Słownictwo podstawowe język francuski
Słownictwo podstawowe język hiszpański
Słownictwo podstawowe język niemiecki
Słownictwo podstawowe język włoski

1000 idiomów angielskich
1000 idiomów francuskich
1000 idiomów niemieckich
1000 idiomów włoskich

Seria
Słownictwo podstawowe

Seria podręczników – słowników do nauki słownictwa obcojęzycznego na poziomie podstawowym i ponadpodstawowym. Każdy podręcznik zawiera około 4000 haseł i zwrotów, wraz z transkrypcją i przykładami użycia, na około 400 stronach. Hasła zgrupowane są według najważniejszych dziedzin wiedzy, a następnie podzielone na mniejsze dyscypliny szczegółowe. W ramach tego podziału wyodrębnia się słownictwo bazowe, do 2000 słów, i słownictwo rozszerzone, do 4000 słów.

Seria
1000 idiomów

Seria książek uzupełniających do nauki języka obcego na poziomie średnio zaawansowanym i zaawansowanym. Są to słowniki powszechnie używanych idiomów danego języka, zgrupowane w porządku alfabetycznym, według słów-kluczy. Każdemu hasłu kluczowemu przyporządkowanych jest od kilku do kilkunastu idiomów.

Każdy idiom zilustrowany jest współczesnym przykładem użycia, wraz z tłumaczeniem na język polski, a niektóre – obszerniejszym komentarzem na temat kontekstu.